シリーズ 戦争学入門

第二次世界大戦

ゲアハード・L・ワインバーグ 著
矢吹 啓 訳

創元社

Gerhard L. Weinberg, *World War II*

World War II was originally published in English in 2014. This translation is published by arrangement with Oxford University Press. Sogensha, Inc. is solely responsible for this translation from the original work and Oxford University Press shall have no liability for any errors, omissions or inaccuracies or ambiguities in such translation or for any losses caused by reliance thereon.

シリーズ「戦争学入門」序言

好むと好まざるとにかかわらず、戦争は常に人類の歴史と共にあった。だが、日本では戦争について正面から研究されることは少なかったように思われる。とりわけ第二次世界大戦（太平洋戦争）での敗戦を契機として、戦争をめぐるあらゆる問題がいわばタブー視されてきた。

そうしたなか、監修者を含めてシリーズ「戦争学入門」に参画した研究者は、日本に真の意味での戦争学を構築したいと望んでいる。もちろん戦争学とは、単に戦闘の歴史、戦術、作戦、戦略、兵器などについての研究に留まるものではない。戦争が人類の営む大きな社会的な事象の一つであるからには、おのずと戦争学とは社会全般の考察、さらには人間そのものへの考察にならざるを得ない。

本シリーズは、そもそも戦争とは何か、いつから始まったのか、なぜ起きるのか、そして平和とは一体何を意味するのか、といった根源的な問題を多角的に考察することを目的としている。確認するが、戦争は人類が営む大きな社会的な事象である。そうであれば、社会の変化と戦争の様相には密接な関係性が認められるはずである。

「軍事学」でも「防衛学」でも「安全保障学」でもなく、あえて「戦争学」といった言葉を用いるのも、戦争と社会全般の関係性をめぐる学問領域の構築を目指しているからである。

具体的には、戦争と社会、戦争と人々の生活、戦争と法、戦争をめぐる思想あるいは哲学、戦争と倫理、戦争と宗教、戦争と技術、戦争と経済、戦争と文化、戦争と芸術といった領域を、理論――「横軸」――と歴史あるいは実践――「縦軸」――を文字通り縦横に駆使した、学術的かつ学際的なものが戦争学である。当然、そこには生物学や人類学、そして心理学に代表される人間そのものに向き合う学問領域も含まれる。

戦争と社会が密接に関係しているのであれば、あらゆる社会にはその社会に固有の戦争の様相、さらには、あらゆる時代にはその時代に固有の戦争の様相が現れる。そのため、二一世紀には二一世紀の社会に固有の戦争の様相、さらには戦争と平和の関係性が存在するはずである。問題は、戦争がいかなる様相を呈するかを見極めること、そして、可能であればこれを極力抑制する方策を考えることである。その意味で本シリーズには、「記述的」であると同時に「処方的」な内容のものも含まれるであろう。

また、本シリーズの目的には、戦争学を確立する過程で、平和学と知的交流を強力に推進することがある。

戦争学は、紛争の予防やその平和的解決、軍縮および軍備管理、国連に代表される国際組織によるさまざまな平和協力・人道支援活動、そして平和思想および反戦思想などもその対象とする。実は戦争学の射程は、平和学と多くの関心事項を共有しているのである。

よく考えてみれば、平和を「常態」とし、戦争を「逸脱」と捉える見方は誤りなのであろう。なるほど戦争は負の側面を多く含む事象であるものの、決して平和の影のような存在ではない。その意味において、戦争を軽視することは平和の軽視に繋がるのである。だからこそ、古代ローマの金言に「平和を欲すれば、戦争に備えよ」といったものが出てきたのであろう。

戦争をめぐる問題を多角的に探究するためには、平和学との積極的な交流が不可欠となる。戦争を研究しようと平和を研究しようと、双方とも学際的な分析手法が求められる。また、どちらも優れて政策志向的な学問領域である。戦争学と平和学の相互交流によって生まれる相乗効果が、世界が複雑化し混迷化しつつある今日ほど求められる時代はないであろう。

繰り返すが、「平和を欲すれば、戦争に備えよ」と言われる。だが、本シリーズは「平和を欲すれば、戦争を研究せよ」との確信から生まれてきたものである。なぜなら、戦争は恐ろしいものであるが、簡単には根絶できそうになく、当面はこれを「囲い込み」、「飼い慣らす」以外に方策が見当たらないからである。

シリーズ「戦争学入門」によって、長年にわたって人類を悩ませ続けてきた戦争について、その理解の一助になればと考えている。もちろん、日本において「総合芸術（Gesamtkunstwerk）」としての戦争学が、確固とした市民権を得ることを密かに期待しながら。

シリーズ監修者　石津朋之
（防衛省防衛研究所 戦史研究センター長
併 国際紛争史研究室長）

目次

装丁　濱崎実幸

イントロダクション

長年にわたり、一一月一一日は第一次世界大戦において一九一八年に戦闘が停止された日として記憶されていた。この戦争は、多くの人が第一次世界大戦と呼びはじめるまでは、長らく「大戦争（グレート・ウォー）」と呼ばれていた。一九一四年から一九一八年にかけて世界中で猛威をふるった戦争の終結の記憶と、大戦争という呼称は、ともに戦争中に生じた犠牲と破壊の未曾有（みぞう）の大きさを表している。一九一四年以前にも非常に多くの血が流された戦争はあったし、その一部は世界中の陸地や海洋での戦闘を伴っていた。しかし、第一次世界大戦ほど多くの国々や植民地を引きずり込み、当時地球上に存在した人々の大部分を直接ないし間接に巻き込み、帝国や王朝を崩壊させ、数多（あまた）の人々を死に追いやった戦争はかつてなかった。第一次世界大戦の終結に際して人々が大きな安堵（あんど）を感じ、このような戦争はもう二度と起こらないだろうという希望が広まっていたのなら、どうして一九一八年からほんの二〇年後には戦争がほとんど再発しそうになり、またその一年後には実際に二度目の世界規模の大災厄が始まることになったのか、不思議に思わずにはいられない。

第二次世界大戦を振り返って、一九三一年の日本軍による満洲占領によって大戦の端緒が開かれたとみなすべきであるという意見もあれば、一九三五年のイタリアによるアビシニア／エチオピア侵攻や一九三六年のスペイン内戦の勃発、一九三七年に勃発した日中戦争に大戦の起点をおく見方もある。本書の観点は、これらの紛争は、第二次世界大戦とは性質が異なっていたというものである。東アジアに由来する二つの年代は、日本による局地的な膨張主義的活動の再燃を示すものである。北東アフリカにおけるイタリアの軍事行動はイタリアの植民地拡大の再開であったし、スペイン内戦は一国内の紛争に終始した。これらの事例すべてで他国が当事国のいずれかを支援したが、直接の交戦国以外の国々が公然と参戦することはなかった。ドイツが一九三九年に開始した、より広域に及ぶ戦争に、日本が一九四一年一二月に意図的に参戦したことは事実である。しかし、第5章で検討するように、この選択は決して運命づけられていたものではなかった。一九四五年以降、国家間の戦争や国内の内戦はあったが、世界規模の戦争は——非常に幸運なことに——一度も起きていない。

本書で扱う戦争が一九三九年に始まったとするなら、当初から世界大戦とみなされるべき理由は何であろうか？　なぜ、ヨーロッパの戦争、つまり［前述の］一九三九年以前の戦争や紛争の多くと同様に、［日本が参戦した］一九四一年以降にはじめて世界大戦となった［地域的戦争］ではないのであろうか？　この戦争はヨーロッパで始まったが、まさにその最初から世界的な側面と参戦国を有していたのである。大戦の口火を切ったドイツは、第1章で示されるように、全世界に及ぶ野望を抱いていた。連合国には初めからカナダとオーストラリア、ニュージーランドが含まれていたし、南アフリカ連邦も数日後に参戦した。フランスで戦った仏領アフリカ植民地の兵士――何千人もが降伏した後でドイツ兵に射殺された――やインドにおける戦争中最大となる義勇軍の徴募に示されたように、フランスとイギリスの植民地帝国も最初期から巻き込まれた。イタリアは一九四〇年六月まで参戦しなかったが、イタリアの参戦により、アフリカ大陸も大戦により直接的に関係するようになった。また、一九四一年五～六月のイラクでの対英蜂起［イギリス・イラク戦争］とシリアでの戦闘［シリア・レバノン戦役］が、アジア以外のどこかで起きたと指摘する者などいないであろう。

海洋における戦争も当初から世界中に及んでいた。その例を二つだけ挙げよう。一つは、一九三九年一二月、ラプラタ沖でのドイツのポケット戦艦「グラーフ・シュペー」とイギリスの巡洋艦「エクセター」「エイジャックス」「アキリーズ」の戦闘。そしてもう一つは、ソ連による対独支援である。一九四〇年、ドイツが太平洋の連合国船舶を撃沈するべく派遣した仮装巡洋艦の一隻は、シベリア北方航路経由で太平洋に到達している。ドイツの潜水艦作戦や、イギリスによるドイツ商船の拿捕（だほ）も、世界中で行われていた。

このように、第二次世界大戦が一九三九年九月のドイツによるポーランド侵攻に始まり、一九四五年九月の日本の降伏［降伏文章調印］で終わったとみなすなら、なぜこのようなことになったのであろうか？　第一次世界大戦の開戦責任が誰にあるかについては果てしない議論があるが、第二次世界大戦を始めたドイツの責任についてはほとんど議論されていない。第1章の中心をなす重要な問題は、第一次世界大戦を生き延びた大人たちはみなこの悲惨な戦争をきわめて鮮明に記憶していたはずであるが、それにもかかわらず、なぜ、どのようにして第二次世界大戦が起きたのか、ということである。また、ドイツは勝利を予期して戦争を始め、しばらくの間はその目的を達成する可能性が十分にあるように思われたので、なぜ連合国が勝利することになったか、という疑問がわく。第2章以降ではこの問題を検討し、ドイツ側についた国々と英仏側に身を置くことになった国々の両方を扱うことになるであろう。ソ連と米国のように攻撃を受けたのか、またはドイツ側についたイタリアと日本、ハンガリー、フィンランド、ルーマニア、ブルガリア、英仏側についた大半の西半球諸国のように自ら進んで参戦したのかは問わない。

この戦争は史上最大規模の戦争となった。したがって、交戦国において、また交戦国の一部が参戦前に保有していた帝国［植民地］において、この戦争が引き起こした変化に触れることも欠かせない。一方では兵器、他方では医療と技術における劇的な変化について記述することも必要であろう。たとえば、本書を執筆する際に利用したコンピュータは、戦争中に開発され利用された新しい技術が現在、また将来にわたって人々の日々の生活に影響を及ぼしている例だといえるかもしれない。

第1章　戦間期

1　一九一九年の講和会議

王朝的原則から国民的原則へ

ドイツ、オーストリア、ハンガリー、ブルガリア、オスマン帝国の後継者との講和条約を起草した戦勝国の代表たちは、多くの複雑な問題に直面した。敗北した中欧諸国をどう扱えばよいか？　ロシア帝国とオーストリア＝ハンガリー帝国、オスマン帝国が崩壊した跡から現れてきた新国家にどう対応すればよいか？　中国における旧ドイツ植民地をめぐる日中間の紛争にどう対処するか？　その他のドイツ植民地についてはどうすればよいか？　終結したばかりの第一次世界大戦のような大惨事が再び起こる危険性をどうすれば減らせるのか？　一九一九年のパリ講和会議に関する研究ではめったに言及されないが、こうした難問の多くを一つの根本的な問題の諸側面として見ることが有益である。すなわち、領土権の基本的前提が王朝的原則から国民的原則へと移り変わるにつれて、ヨーロッパおよびそれ以外の地域の領土をどのように再編成するか、という問題である。これは、フランス革命とナポレオン戦争の大動乱ののち、一八一五年の講和条約の起草者たちが頭を悩ませる必要のなかった難問であった。一九一九年にパリに集った講和条約の起草者（ピースメーカー）の多くは、第一次世界大戦の大きな原因は、二〇世紀初頭のバルカン戦争およびセルビアとオーストリア＝ハンガリーの間の争いにおいて明らかなように、国民的原則に順応し損ねたことだったと考えていたのである。

　王朝への忠誠に基づく国家から、国民的アイデンティティに基づく国家への移行をどう促すか――この根本的問題に対する講和条約の起草者たちの取り組みは完全に公平というわけではなかったし、合理的でもなかったが、いずれにせよ彼らが相応の称賛を受けることはめったになかった。しかし、自分とは異質な統治者に支配されていると思う人々の数は、ヨーロッパでは大幅に減少していたのは事実である。さらにこの講和条約には、総じて国民的原則への順応に向けた努力に適合する、またそのようにみなされるべき三つの側面があった。第一に、ヨーロッパの新国家のいくつかは、新たに引き直された自国境内に住む少数民族の権利の尊重を約束する条約に調印しなければならなかった。この少数民族保護のためのシステムは、その創案者たちが望んでいたほどにはうまく機能しなかったが、彼らの努力は称賛に値する。講和条約の第二の特徴は、ヨーロッパのいくつかの地域における住民投票（プレビシット）に関する規定である。これは自身が考える国民的帰属について住民が投票するというもので、国境を国民的帰属（ナショナリティ）に合わせるという概念に適合する。ここでも問題が生じることになるが、この考えもやはり称賛に値する。

講和条約の第三の側面、つまり統治する者ではなく統治される者を基準とする新しい方針を重視する側面は、ドイツ植民地帝国と、オスマン帝国の非トルコ地域に関する取り決めに見出すことができる。ドイツ植民地全体から見ればごく小さな地域にすぎない、西アフリカのカメルーンとトーゴは隣接するイギリスとフランスの植民地に併合され、ドイツ領東アフリカ（タンザニア）のごく一部がポルトガルのモザンビーク植民地に編入されたが、ドイツ植民地帝国の大半はいわゆる「委任統治領」になった。イギリスとフランスに割り当てられたオスマン帝国の一部も同様に委任統治領となった。委任統治領は以下A～Cの三つのカテゴリに分類された。Aはかなり近いうちに独立国家となることが予期され、Bは〔独立国家となる〕プロセスにより長い時間がかかることが予想され、Cは長期にわたって外部の統制を受けることが想定されていた。これらの諸国は独立するまでさまざまな戦勝国に割り当てられ、新しい統治者たちはこれらの諸国について新しく設立された国際連盟の特別委員会に報告することが求められていた。この手続きは、これまでの世界規模の戦争ののちにとられた手続きとは大きく異なっていた。かつては、インドとカナダの一部、西半球とアジア、太平洋諸島の植民地は、植民地帝国間で支配権が移譲された。将来、現地の住民が、ロンドンやパリ、マドリッド、リスボン、ワシントン、東京、ローマといった本国の首都からの統治ではなく、自国の首都からの統治を望む可能性は考慮されなかったのである。

国際連盟の創設と戦争犯罪人の規定

さらに二つの新制度に言及しなければならない。米国からの相当な影響を受けて、国際連盟という新しい国際組織が創設された。その憲章はコヴナントと呼ばれ、［敗戦国と個別に締結された］各講和条約の冒頭に組み込まれた。終結したばかりの悲惨な戦争の再発を防止することを願って、国際関係への新しいアプローチが必要になると考えられたのである。その時々の喫緊の問題を議論するための恒久的な国際フォーラム、少数民族と委任統治領、住民投票を監督する仕組み、そして国際連盟の各加盟国の独立を維持するための集団的保護体制を作ることになった。それは期待したほどには機能しなかったが、この概念は二〇世紀を通じて人々と指導者たちの思考に影響を及ぼす新要素を国際関係に持ち込んだ。

もう一つの新制度は、対独講和条約に戦争犯罪人の裁判に関する規定を含めたことであった。これはドイツ人が最も嫌った規定の一つであり、結局、国際裁判が開かれることはなかった。その代わりに、ライプツィヒ国事裁判所に責任が転嫁された［ライプツィヒ戦犯裁判］。これらの裁判は茶番であることが分かり、第二世界大戦中および戦後の異なるアプローチを導くことになったが、それでもこの概念は戦争の恐怖に関する人々の考え方に新しい要素をもたらした。病院船に魚雷を放ち、その後生存者の乗った救命艇への機銃掃射を命じた潜水艦艦長が、国民社会主義ドイツ労働者党［ナチ党］が権力を握ったあとのドイツで出世を期待できたのは驚くことではないが、講和条約はこうした行為に関する新しい考え方を示したのであった。

領土問題

オーストリア＝ハンガリー帝国とオスマン帝国はいずれもこの戦争が終わった時に消滅していたため、ドイツとの講和条約が最も重要であった。この講和条約においては、王朝的原則から国民的原則への移行が最も重要であると同時に、最も議論を呼ぶものであることが判明した。［一八七一年のドイツ統一から］半世紀もたっておらず、大国のうちで一番新しかったが、ドイツは分割されなかった。ドイツ国内に住む人々は明らかに自らをプロイセン人やヴュルテンベルク人、ザクセン人、バイエルン人というよりもドイツ人と考えていたのである。その一方で、それまでの一世紀半の間に他国から奪った領土は、以前の所有者であるフランスとデンマーク、ポーランドに返還された。しかし、明らかにドイツ人が居住する領土の大半は、戦勝国に割譲されたりしなかった。講和条約起草者たちのこうした決断は、将来の深刻な問題を引き起こした。

デンマークとポーランドへの土地の返還に関連して、新たな国境線の位置に疑念がある地域では、住民投票が行われることになっていた。また、一五年間ドイツから分離されることになるザール地方についても住民投票が準備されていた。ポーランドから奪った土地の返還は、ドイツで最も激しい反対を招いた。一七七二年、一七九三年、一七九五年の三度のポーランド分割において、ブランデンブルク＝プロイセンの統治者は、ロシアが中央ヨーロッパに接近するなかでポーランドから大きな領土を奪い、第一回の分割ではブランデンブルクとプロイセンを結ぶ東西回廊を作り出した。ポーランドから奪取した土地の大半を返還すれば、一七七二年以前のような南北に走る回廊［ポーランド回廊］が復活することになる。国家としての歴史は、ポーランドのほうがドイツより何倍も長いとしても、多くのドイツ人はこの土地の返還を理不尽だとみなした。この理不尽さの一側面は、その後数十年にわたってそうであったのと同様に、当時から非常に重要であった。すなわち、大多数のドイツ人は、東ヨーロッパのポーランド人やその他のスラヴ民族について、人種的にも文化的にも自分たちより劣っていると考えていたのである。ドイツ人であるか、ポーランド人であるかを問う投票は、両者の同等性を含意するものであり、自分たちは完全に異なる人類のカテゴリに属すると考えていた多くのドイツ人にとっては侮辱とみなされた。パリ講和会議においてドイツ代表団が戦勝国に対して、当初計画どおりに上シュレジエン(アッパー)をポーランドに割譲する代わりに住民投票(将来の分割の可能性を含意するもので、最終的にそのとおりになった)を行うよう説得した時、多くのドイツ人はそれを交渉チームの大きな成果ではなく、むしろドイツ人の自己認識に対するさらなる侮辱とみなした。プロイセンとバイエルン、オルデンブルクを含むドイツ諸邦の多くが隣接しない複数の領域に分かれていたし、一九四五年までそのままであり続けたということはいつも見過ごされた。

対独講和条約のもう一つの重要な側面は、ドイツの西部国境をめぐる議論と講和条約によるその解決の方法であった。フランスはそう遠くない過去にドイツから二度侵略されている――一八七〇年と一九一四年――ため、ドイツによる将来の侵略を懸念していた。それは一八一五年に多くの人々がヨーロッパでのフランスによる将来の侵略を心配していたのとほとんど同じであった。ドイツからラインラントを切り離し、そこに別の国を作り出すという選択肢が真剣に考慮されたが、これはフランスをドイツの侵略から守る一方で、国民的原則に真っ向から反することでもあった。イギリスと米国の代表団の主張を容れて、フランスとベルギーの保護を意図する別の取り決めにより、ラインラントはドイツ領にとどまることになった。その代わり、ライン川の西方、そして東方五〇キロメートルの領域は非武装化され、再武装しないことになったのである。そのうえ、イギリスと米国は、ドイツが再び侵略した場合にフランスを支援することを約束する安全保障条約に調印した。これらの取り決めは国民的原則を維持すると同時に、フランスに安全保障を提供すると考えられた。ドイツはこの地域を保持するが、フランスへの攻撃は自動的にイギリスと米国との戦争を意味するので攻撃を思いとどまるであろう。ドイツはまた、非武装地帯の存在により西から侵略されやすい状態であるため、ポーランドの独立とオーストリア゠ハンガリー帝国の解体によって誕生した小国の独立を尊重せざるを得ないであろう。しかしながら、安全保障条約の批准を米国の上院が拒絶し、それに続いてイギリスが唯一の保証人となることを拒否したため、一九三〇年代の平和構造は崩壊することとなった。自ら設計を助けた条約体制から米国が離脱したために、条約履行の強制は戦争で非常に弱体化していた各国に委ねられた――そして、これゆえに敗戦国は再び侵略を試みるよう助長されることになるのである。

軍備制限と賠償金

対独講和条約に含まれる規定のうち、さらに二つのカテゴリについて、ドイツ人は大いに憤慨し、無効化ないし無視する方法を見つけた。それはドイツの軍事力の制限と賠償に関する規定である。ドイツは第一次世界大戦で前線から遠く離れた都市への爆撃を実施したが、こうした戦術に否定的だった連合国は、ドイツが空軍を保持することを禁じた。しかし、一九一八年以降、ドイツは友好関係にあったソ連から供与された施設を利用して、この制限を巧妙にくぐり抜けた［ドイツはソ連国内で秘密裡に航空機製造やパイロットの訓練を行っていた］。もっとも、ドイツは第二次世界大戦において、自分たちが都市の爆撃に固執すれば、他国も同様に報復することを学ぶことになる。装甲車の開発を禁止された際にも同じことをしたし、潜水艦保有の禁止を巧みに逃れるためにその他の国を頼った。陸軍の規模を最大一〇万人とする条約の制限については、たとえば武装警察を訓練することによって回避された。講和条約はドイツ国会によって法制化されたが、最上位のドイツ軍司令官たちは、ヴァイマル共和国の憲法と法律に従うことを宣誓していたにもかかわらず、可能なかぎり頻繁にその宣誓を破ることに大きな誇りを持っていた。

　第一次世界大戦以前の戦争においても、戦勝国はしばしば敗戦国に賠償金（インデムニティ）を科した。近いところでは一八七一年に新国家ドイツがフランスに賠償金を科している。［第一次世界大戦の］講和条約を起草する者たちはこれを異なるかたちで表現した。戦闘とそれに付随する破壊の大半はドイツ以外の地域で生じていたため、条約およびその後の交渉や議論では、ドイツは敗戦の罰金ではなく、自ら引き起こした損害の復旧費用を支払う義務があることを示すために「賠償（リパレイション）」という言葉が使用された。賠償に関する長い複雑な物語をここで振り返ることはできないが、その重要な帰結については言及しておかねばならない。なぜなら、ドイツと戦勝国両方の国内で起きたその後の出来事に、賠償が影響を及ぼしたからである。賠償金の支払いを逃れるため、ドイツ政府は一九二三年にインフレによって自国通貨の価値を故意に暴落させ、一九三一～三二年には急激なデフレを引き起こした。国際的には、その結果としてドイツは非常にわずかしか賠償金を支払わず、戦勝国が自国の復旧費用を負担しなければならなかったため、戦勝国はさらに弱体化することになった。一方、ドイツ国内では政府に対して大きな不満が生じ、ナチ党が唱道する新たな体制を支持する気運が高まった。

2 第一次世界大戦後のドイツとヒトラーの台頭

事実上、誰も予想しなかった敗北により、ドイツ国内は混乱していた。この混乱のなかで、さまざまなグループや個人が登場し、すでに起こったことに対する説明と、新たな将来像の提案を行った。多くの軍人や一部の政治指導者は、ドイツは前線で敗れたのではなく、社会主義者と共産主義者、ユダヤ人、またその他の破壊分子とされる者たちによって背後から刺されたのだと主張した。自ら引き起こした敗北の受益者として、今や彼らが国家を支配している。複数の政党の存在に示されるような国内不和の余地のない新体制が、将来の戦争での勝利を確実にする。勝利を手にするのは、国内唯一の政党の唯一の党首によって指導される国である。こうしたメッセージによってますます支持を集めたのが、アドルフ・ヒトラー率いる国民社会主義ドイツ労働者党であった。この運動を統制できるという誤った信念と、将来にどのような戦争が起こったとしても、前回の大戦とは異なる結果を手にすることを期待して、選挙で選ばれたドイツ大統領パウル・フォン・ヒンデンブルクの周囲の人々は、一九三三年一月末にヒトラーを首相に任命するようヒンデンブルクを説得した。

ヒトラーは自身の著作『我が闘争』とその続編」と演説において「背後からの一突きのせいで敗れたという」匕首(あいくち)伝説に固執し、一つの政党の存在しか認めていないとしてソ連体制とイタリアのファシズム体制を称賛した。ヒトラーは、ドイツの将来への道は、講和条約で失った土地の断片を取り戻すための戦争——彼が国境政治家（グレンツポリティカー）と呼ぶ者たちが唱道する愚行——ではなく、自身のような空間政治家（ラウムポリティカー）が要求する巨大な「生存圏（レーベンスラウム）」、つまり生存空間を獲得するための戦争にあると主張していた。一九三三年の数ヵ月間に、ヒトラーはドイツにおける一党独裁を確固たるものにし、それと並行して、ひそかに行われていた再軍備を加速した。ヒトラーは、首相になった数日後、これは東ヨーロッパの広大な生存圏を征服してドイツ化するためだと軍司令官たちに説明した。

ヒトラーは、自身が構想する一連の戦争の最初の対戦国となるチェコスロヴァキアに対しては、それまで秘密裡に進められていた再軍備の大幅な加速で事足りると考えていた。彼は、この戦争によって中央ヨーロッパにおけるドイツの地位を強化し、ドイツが召集することのできる陸軍師団を増やすことを計画していたのである。その次の戦争では、新兵器、とくに単発および双発の急降下爆撃機、より大型の戦車、大型軍艦が必要となる。そして、この戦争は、先の大戦でドイツに苦杯をなめさせたフランスとイギリスが相手となる。西側諸国の敗北が必要条件とみなされた一方で、ヒトラーはその後に計画されていたソ連侵攻では新兵器は必要ないと考えていた。彼の見立てでは、この劣等なスラヴ人の国を打倒するのは難しいことではなかった。スラヴ人がボリシェヴィキ革命によってそれまでの主にドイツ系の統治エリートを失い、今やヒトラーの見解では無能な者たちによって統治されていたことを、ヒトラーはドイツにとって思いがけない幸運と考えていた。劣等なソ連の壊滅は、その後の米国との戦争に必要な原材料、とくに石油をもたらす。米国も人種的に劣っているが、距離が離れているうえに相当規模の海軍を保有していた。したがって一九三七年、対英仏戦用の兵器の設計と生産が軌道に乗るとすぐに、ヒトラーは対米戦争に必要な大陸間爆撃機と超大型戦艦の計画および製造の開始を命じた。なぜなら、彼が正しく予期していたように、これらの新兵器の設計と製造には長い年月がかかるからである。

3　ヒトラーに対する世界の反応

ドイツ以外の国々は、当時「大戦争」と呼ばれた戦争を経験した後だというのに、世界の大半を巻き込みかねない新たな戦争を誰かが真剣に企てるとはにわかに信じられなかった。一九二〇年代および一九三〇年代初頭には、軍備を制限するためのあらゆる努力がなされた。十分な効果はなかったが、これらの努力はほとんどの大国が必要と考えたものを示していた。また一九三三年にドイツが「国際連盟と軍縮会議から」正式に脱退したことは、新たな戦争に向けた決意の兆候として受け止められたりしなかった。同様に、日本の海軍軍縮条約からの脱退に対しても、米国、またより規模は小さいもののイギリスも、最小限の海軍再軍備で対抗しただけであった。日本による一九三一年の満洲占領と一九三七年の対中戦争再開は非難を受けたが、他国からの軍事的反応に直面しなかった。一九三七年の秋冬に日中戦争を調停しようと努めたのは、中国および日本の両方と良好な関係を維持していたドイツであった。日本政府が中国国民党政府とのいかなる和解も拒絶した時、ヒトラーは日本を支持することを選んだ。彼はまたイタリアとの同盟を長らく主張していた。それは彼がイタリアの独裁者ベニート・ムッソリーニを高く評価していたからでもあるし、イタリアが帝国を拡大するには第一次世界大戦当時の同盟国を犠牲にするしかなかったからでもある。同じことが日本についても当てはまり、それゆえに日本はもう一つの好都合な同盟国候補であった。

一九三〇年代にドイツがいっそう公然と再軍備を進めるにつれて、米国議会は「中立法」と呼ばれるいくつかの法律を制定した。これらの法律があれば米国は一九一四年の大戦に巻き込まれなかったかもしれない。しかしこれはフランスとイギリスを落胆させ、ドイツを助長する動きだったために、戦争再来の可能性を高めることになった。英仏政府はともに、ドイツが公然と講和条約に違反するのを止めさせるために戦争をしたいとは思っていなかった。大戦で膨大な死傷者が出てからというもの、両国の大衆はいかなる戦争の再来も嫌悪と恐怖をもって注視していた。イギリスは大幅に軍備を縮小していたし、フランスはドイツによる新たな侵攻を思いとどまらせるか、あるいは撃退することを願って、大規模な要塞（ようさい）線の建設に着手していた。両国の国民と指導者たちは、あまりに厳しすぎると主張された、一九一九年の講和条約に関する絶え間ないドイツの不満にも影響を受けた。一九四三年五月にチュニジアで捕虜になったドイツ軍の将軍が、四五年二月、同じく捕虜となった他の将軍に対して、次のように語ったことが録音されている。「もしドイツがヴェルサイユ条約と同じような講和条約を締結できるなら、皆天井まで飛び上がるほどに喜ぶであろう」。しかし、ドイツ人がこうした認識をもつにいたるまで時間が掛かりすぎた。彼らは、戦勝国の多くの人々に対して、ドイツが講和条約の条項を無視することを大幅に許容するよう仕向けることに成功していたのである。

ドイツがイタリアおよび日本と結びつきを強めるにつれ、イギリスはドイツとの対決はなおさら避けるべきであると感じていた。世界中に広がるイギリス帝国と連邦（コモンウェルス）への脅威は、ヨーロッパだけでなく地中海と東アジアにおける慎重さを助長した。フランスはラインラントをドイツ領に残すことを容認するのと引き換えに約束された英米両国の支援を得られなくなったことを知っていたのに加えて、激しい国内の意見対立がフランスの立場を弱体化させていた。一九三六年三月、ドイツは講和条約のその他の条項に反して、ラインラントの再軍備に着手したが、フランス政府はそれでもこれに軍事行動で応じないことを決めた。フランスは［オスマン帝国の解体により誕生した］東欧の新しい国々と条約を結んだが、それらは一九一四年以前の露仏同盟を有効に代替するものとはみなされなかった。また、一九三五年にソ連と結んだ条約は、ソ連の指導者ヨシフ・スターリンが大規模な粛清で自国軍人を処刑し、ドイツとソ連が共有する国境がないので有益だとは思われなかった。

一九三八年三月にヒトラーがドイツ軍にオーストリアへの進軍を命じた時、写真や報道が示していたように、喜んで独立を放棄する人々のために戦おうとする国はなかった。オーストリア人が結局はドイツ人ではないということを自ら理解するには、七年間ドイツ人として過ごすことが必要だったのである。しかし、オーストリア併合にはいくつかの重要な直接の影響があった。ドイツ国内でのヒトラー支持がさらに高まり、ドイツはイタリアとハンガリー、ユーゴスラヴィアと接する新しい国境だけでなく相当な経済的資産も獲得し、チェコスロヴァキアに対する脅威を大幅に高めたのである。

4　チェコスロヴァキアをめぐる危機

ヒトラーは、一九三八年秋にチェコスロヴァキアに侵攻してそのほぼ全土を奪取し、場合によっては最東端の地域をハンガリーに、わずかばかりの領土をポーランドに残すつもりであった。ヒトラーが構想した一連の戦争の端緒となるこの戦争は、地理的要因とプロパガンダによって外部の介入を回避することが想定されていた。地理的要因についてはヨーロッパの地図を見れば明らかである。ルーマニアとの短い国境線を除けば、チェコスロヴァキアと国境を接する国は敵対国ばかりであり、いずれもチェコスロヴァキアに対して領土権を主張していたのである。プロパガンダの面はチェコスロヴァキア国内に約三〇〇万人のドイツ人が存在することであり、彼らは主に同国のボヘミア地方の国境地域に住んでいた。この少数派の見せかけの苦難に十分な関心を集中させ、必要なだけの暴力的事件を引き起こすよう彼らを唆せば、ドイツのチェコスロヴァキア侵攻は当然の制裁とみなされ、他国が介入を控えるかもしれなかった。なにしろ、国境はさまざまな住民の希望を反映して引かれていたのである。この「国境線を引き直す」過程において、チェコスロヴァキア国家の消滅は、他国が阻止することができないうちに既成事実化される、とヒトラーは考えていた。

ドイツのプロパガンダ・キャンペーンは非常にうまくいったが、結局は予期しない影響があった。ヒトラーがドイツ系少数派に要求をつり上げ続けるよう伝える一方で、イギリス政府はチェコスロヴァキアの指導者たちにドイツ系少数派に対して大幅な譲歩をするよう促した。一九三八年七月には、フランス政府は自国がドイツ系少数派の問題をめぐって戦うことはできないし、戦うつもりもないとチェコスロヴァキア政府にひそかに伝えた。また、カナダ、南アフリカ連邦、オーストラリアもイギリス政府に同様の警告をした。イギリス首相ネヴィル・チェンバレンは、いまだにチェコスロヴァキア政府側が譲歩することで戦争が避けられるのではないかという望みをもっていた。ウィンストン・チャーチル［一九三九年九月の開戦とともに海軍大臣に任命されるが、当時は閣外の一議員］はこのアプローチを公然と批判したが、チェコスロヴァキア政府の当局者に対しては、自分が首相だったら同じ方針をとったであろうと内々に知らせていた。

ドイツがまさに侵攻しようとしているかに見えた時、チェンバレンは大急ぎでドイツを訪れることを主張した。ヒトラーは依然として戦争を始める気でいたが、イギリス首相の訪問を拒絶することはできなかった。ヒトラーは自らの要求が受け入れられないことを見越し、チェコスロヴァキアがドイツ系少数派と防御要塞ごと国境地帯をドイツに割譲することを要求した。ヒトラーが驚き、失望したことに、チェンバレンはチェコスロヴァキア政府の合意を取り付け、二回目の会談でその旨をヒトラーに伝えた。ヒトラーが平和的解決を避けるために追加の要求をした時、英仏両政府はドイツが戦争の口実を探しているだけだということを悟り、動員を開始して、ドイツが攻撃するなら戦争も辞さない姿勢を明確にした。この状況において、またドイツの大衆が依然として平和を望んでいることを知り、ヒトラーはムッソリーニからの懇願（こんがん）に応えた。イタリアは第二次エチオピア戦争を終えたばかりであり、スペイン内戦ではフランシスコ・フランコ率いる国民戦線軍の支援に関わり続けていたため、大規模な戦争を行える状況ではなかったのである。ヒトラーはチェコスロヴァキア侵攻を中止し、ミュンヘンで三回目の会談［ミュンヘン会談］を行うことに同意した。この会談でヒトラーは、本来の目的ではなく、表向きの目的を達成することで妥協した。

5 ドイツ、第二次世界大戦を開始す

ボヘミアの国境地帯および同地域で圧倒的多数を占めるドイツ系住民をドイツに割譲したミュンヘン協定は、一般的にドイツの侵略的行動に対する屈服と見なされている。このおかげで全面戦争が回避され世界の国々は安堵したが、ヒトラーはこの結果に大いに憤慨し、のちにこの協定を生涯で最大の過ちとみなすようになった。その当否はともかくとして、彼はその時点で戦争を起こすことがドイツにとっては好ましかったと信じていた。このためヒトラーは、翌一九三九年に戦争を開始することだけでなく、騙（だま）されて阻止されないように戦争を遂行することを決意した（一九三八年の時はチェンバレンに騙されたと考えていた）。チェコスロヴァキアの残る領土はドイツ自ら作り出す最初の機会に奪取され、ドイツの大衆は戦争への熱狂に駆り立てられるであろう。ヒトラーがのちのソ連侵攻の前提条件と信じていた西側諸国との戦争がそれに続くことになる。ドイツが安全に西方に軍隊を集結させられるようにするために、ドイツ東方の隣国を服従させなければならなかった。一九三八〜三九年の冬、ハンガリーとリトアニアは服従したが、ポーランドは服従しようとしなかった。

再興したポーランドの指導者たちは、真剣な交渉においてドイツに譲歩することに前向きであっ

た。彼らにはドイツ本土〜東プロイセン間の通行を容易にし、都市そのものがドイツに割り当てられるような形でこのダンツィヒ自由市を分割する用意があったが、ポーランド全体をドイツに従属させるつもりはなかった。敵対的なドイツと、同じぐらい敵対的なソ連に挟まれる自国の脆弱（ぜいじゃく）な立場を認識していたが、ポーランドの指導者たちは独立を放棄するくらいなら戦うことを決意していた。このポーランドの姿勢は、フランスとイギリスの方針の変化と符合していた。

　チェコスロヴァキア国境地帯の併合はドイツ側の最終要求だったはずであるが、ドイツは明らかに不満を抱いており、英仏両政府は見方を変えることになった。一九三八年冬、ドイツが低地諸国［現在のベルギー、ルクセンブルク、オランダ］やルーマニア、ポーランドに侵攻するという噂（うわさ）が流れると、英仏両政府はそれまでの方針を変えた。自衛を選択した国に対してドイツが攻撃を仕掛けるなら、西欧・東欧に関係なく、自分たちがその国を支援するという結論に達したのである。この見解はその後一九三九年三月にドイツがチェコスロヴァキアの大半となる同国中央地域を占領したことで強化された。この占領により、ドイツ政府は決してチェコスロヴァキア国内のドイツ系少数派のことを懸念していたわけではなかったことが示された。この措置がドイツの次なる侵略に際して、その被害者が自らを守ろうとするなら戦う準備をするという英仏両国の意志を固めさせることになった。イギリスはこうした決意をもって、同国で初めてとなる平時の徴兵制を導入した。第二次世界大戦ののちには、ドイツ系少数派のドイツへの強制移住に連合国が同意することになった。ドイツ系少数派は「帝国へ帰ろう（ハイム・インス・ライヒ）」と叫んでいたが、彼らが予期していなかったかたちでその願いが実現することになる。

ヒトラーは他国からの干渉を受けずにポーランド侵攻を実行することを望んでおり、それが英仏に対する攻撃の必要条件と見なされていた。しかし、ヒトラーは三ヵ国すべてとの同時交戦も覚悟していた。ポーランド侵攻を秋に予定していたため、冬が西側諸国からのいかなる重大な報復も遅らせるであろうと期待していた。そのうえ、イタリアとの周知の同盟や〔日独伊防共協定の強化（三国同盟化）をめぐる〕日本との交渉が、英仏に干渉を思いとどまらせる手段とみなされていた。しかし、〔日本の〕傀儡国家であった満洲国と、ソ連の属国であったモンゴルとの国境におけるソ連赤軍との戦闘――ノモンハン事件ないしハルハ河事件――のために、日本はその時点で同盟を公約したがらなかった。ドイツにしてみれば、ソ連との協定は明らかに日本との協定の代案であった。ソ連はポーランドから広大な領土を獲得することを望んでいたし、西側諸国との戦争の際にドイツが封鎖を出し抜けるように支援することができたのである。

　独ソ関係はヒトラーが権力を握るまでは良好で、スターリンはその後も関係を改善しようと繰り返し努めたが、一九三八～三九年の冬までヒトラーはそうした試みを拒絶した。なぜなら、ソ連にはオーストリアやチェコスロヴァキアと接する国境がなかったからである。しかし、今や状況が変わったのである。ヒトラーはスラヴ民族の人種的劣等性を信じ、時機が来れば容易く壊滅させることができると考えていた。同様にスターリンは、ファシズムは資本主義の一段階であり、資本主義国同士が戦うことがソ連の利益になるのであり、一方でナチの農業的膨張主義は、市場と収益を求める金銭的権益に従属する政権の真の目的の隠れ蓑にすぎないと信じていた。西ヨーロッパで勝利したドイツはその後ソ連と米国に関心を向けるであろうという米国大統領フランクリン・ローズヴエルトの警告を無視して、スターリンはドイツとの秘密交渉を進めるために公に発表されたイギリスおよびフランスとの同盟交渉を利用した。ヒトラーはフランスとイギリスを壊滅させたのち、ソ連に譲ったものすべて、またそれ以上を奪取するつもりであったため、スターリンが望むものを何でも提供する用意があった。一九三九年八月、不可侵条約の調印、および外交交渉で議論されたとおりに東ヨーロッパを分割する秘密議定書に調印するため、ドイツ外務大臣ヨアヒム・フォン・リッベントロップがモスクワに派遣された時、彼はスターリンが求める以上に譲歩することを許可されていた。八月二三日にモスクワで調印された条約に先だって経済協定が締結され、ドイツにポーランド破壊のパートナーだけでなく、どのような封鎖も破る手段を保証した。

ヒトラーはモスクワで独ソ不可侵条約が締結されたと確認するや、ポーランド侵攻を命令した。チェンバレンが、イギリスはポーランドを守るという公約を果たすと警告したため、ヒトラーは侵攻を数日間延期してイギリス政府の説得に努めたが、結局、ポーランド侵攻を命じた。今回は、彼が一九三八年に起きたと信じていたように、ドイツが和平交渉に追い込まれることのないように手を尽くしていた。同様に、チェコスロヴァキアと行われたような詳細な交渉がポーランドと行われることはなかった。ドイツ国内の支持を確保するため、ポーランドに対して穏健とされる最終要求が通知されたが、こうした要求でさえ期限切れを宣言できるまでは秘密のままであった。ワルシャワとロンドン、パリのドイツ大使たちは、ヒトラーによって最後の重要な数日間に赴任地から隔離された。軍司令官たちに述べたように、ヒトラーが唯一恐れていたのは最後の瞬間に「ブタ野郎(ザウケル)」が妥協案を提案するかもしれないということであった。

ヒトラーの心配は杞憂に終わった。ポーランドとの公式同盟に調印したばかりのイギリス政府は、侵攻軍を引き揚げるようドイツに最後通牒を突きつけ、予想どおり撤退がなされなかった時に宣戦布告した。フランスは数時間後に同様の手順を踏んだ。カナダとオーストラリア、ニュージーランドがドイツに宣戦布告し、少し遅れて南アフリカ連邦もこれに続いた。インドの植民地政府は宣戦布告したが、アイルランドは中立を宣言した。フランス植民地帝国は自動的に戦争に巻き込まれ、ムッソリーニはまだドイツ側に立って参戦する用意がなかったけれども、新たな世界規模の戦争が明らかに始まっていた。

第2章　第二次世界大戦勃発

1　ポーランド侵攻

ポーランドから西側諸国を切り離すことができないと悟るやいなや、ヒトラーは自身の計画では交渉の日がもう一日残されていたにもかかわらず、戦争の開始を命じた。正式な宣戦布告はなかった。一九三九年九月一日の早朝、ドイツの爆撃機がポーランドの都市ヴィエルニに対して恐るべき攻撃を仕掛けた。地域病院を壊滅させ、住民を機銃掃射し、一二〇〇人の民間人を殺害した。米国のローズヴェルト大統領は民間人を標的としないよう訴えたが、この要請にドイツ軍はワルシャワの米国大使館の敷地に爆弾を落とすことで応え、すぐにヴィエルニ以外の都市にも同様の攻撃がなされた。

一九一四年の戦争の責任に関するそれまでの議論では、動員の順序に多くの関心が集中しており、そのためにポーランド政府は「早期の動員がドイツ側のプロパガンダに利用されることを恐れて」動員を遅らせていた。他国からの侵攻に対して領土の大半を防衛する計画であったため戦力が広範囲に分散しすぎており、攻撃を受けるどの場所でも侵攻するドイツ軍を食い止めることができなかった。ドイツ軍の装甲部隊は戦術航空支援を受けつつ複数地点を迅速に突破し、歩兵部隊は戦車に随伴、またはその直後に後続して前進した。ポーランド軍の善戦によりいくつかの地点ではドイツの進撃が遅延したが、ドイツ軍がポーランド側防衛部隊を迂回(うかい)すると、そうした善戦はすぐに無効化された(地図1参照)。

ドイツによるポーランド侵攻の諸側面に言及しておかなければならない。ドイツ空軍の支援をともなう装甲部隊の集中運用は迅速な突破と進撃に役立ったが、ポーランドの地勢および貧弱な道路と飛行場のため、兵器の損耗は相当なものであった。これはのちにソ連侵攻を準備する際にドイツ軍司令官たちが考慮し損ねた点である。ドイツ軍の馬への依存度は高く、大砲の運搬から負傷者の移送まで、あらゆる種類の輸送に馬が使われていたが、このことは実態をはるかに超えてドイツ軍の自動車化を強調する宣伝映画によって覆い隠されていた。攻撃に先立って、ポーランドの聖職者およびエリート全般の殺害命令が出ていた。全住民をゆくゆくはドイツ人植民者で置き換えることが想定されていたため、潜在的なレジスタンス組織者をできるだけ早く取り除かなければならなかったのである。同様に、ドイツ国防軍が民族浄化(ジェノサイド)となる行為にますます関与してゆくにつれて、膨大な数のポーランド民間人と相当数のユダヤ人が殺された。ポーランド侵攻の際には、この行為に対する顕著な不満があり、ドイツ軍の一部から強い反対があった。ドイツ指導部はこうした不満と

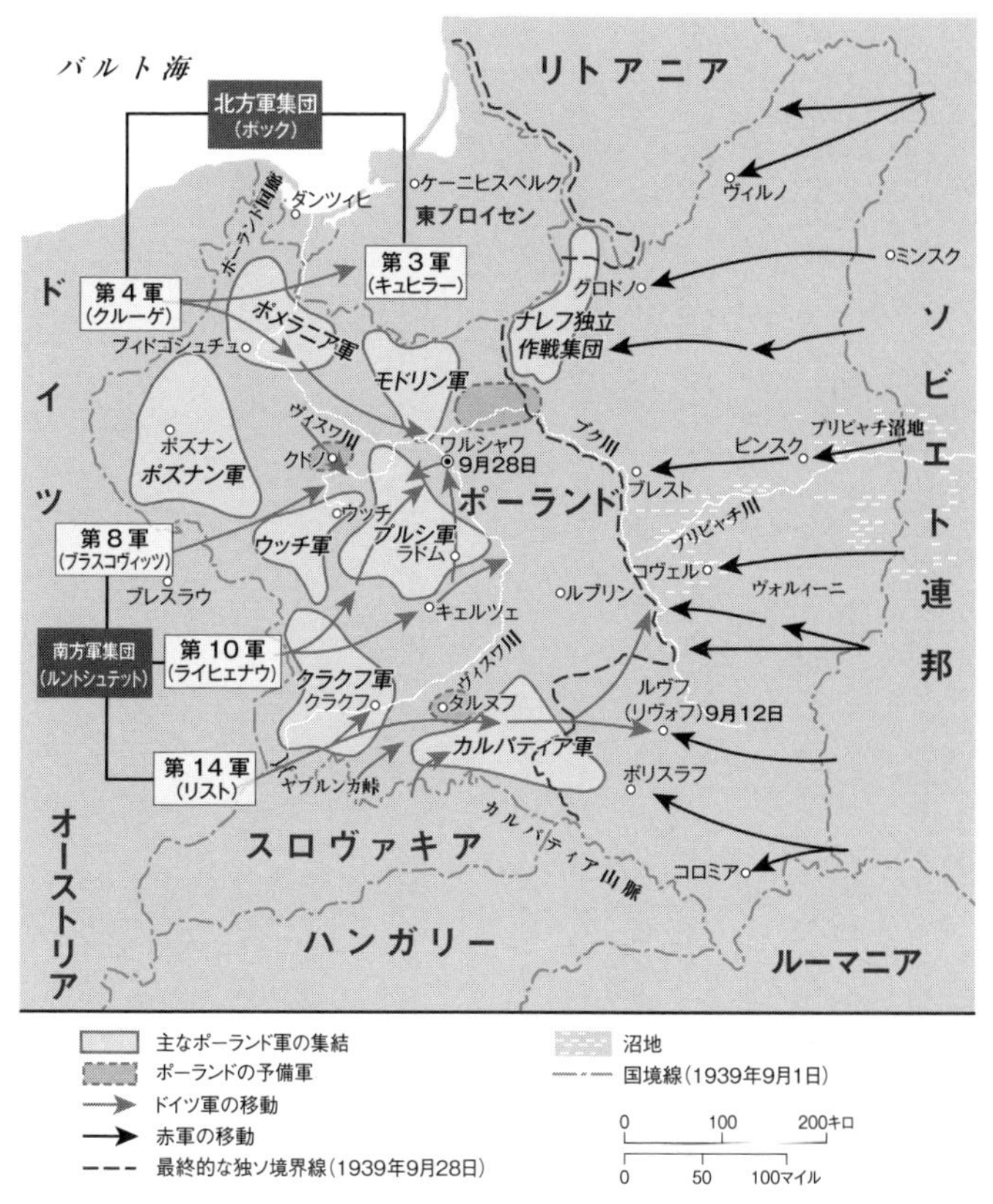
バルト海
北方軍集団
（ボック）
リトアニア
ケーニヒスベルク
東プロイセン
ヴィルノ
ダンツィヒ
第3軍
（キュヒラー）
ミンスク
ドイツ
第4軍
（クルーゲ）
ポメラニア軍
グロドノ
ナレフ独立
作戦集団
ソビエト連邦
ブィドゴシュチュ
モドリン軍
ポズナン
ポズナン軍
ヴィスワ川
クトノ
ワルシャワ
9月28日
ブグ川
ピンスク
プリピャチ沼地
ブレスト
ポーランド
ウッチ
第8軍
（ブラスコヴィッツ）
ウッチ軍
プルシ軍
ラドム
プリピャチ川
ブレスラウ
コヴェル
ヴォルィーニ
ルブリン
キェルツェ
南方軍集団
（ルントシュテット）
第10軍
（ライヒェナウ）
クラクフ軍
クラクフ
タルヌフ
ルヴフ
（リヴォフ）9月12日
第14軍
（リスト）
ヤブルンカ峠
カルパティア軍
ボリスラフ
オーストリア
スロヴァキア
カルパティア山脈
コロミア
ハンガリー
ルーマニア
主なポーランド軍の集結
ポーランドの予備軍
ドイツ軍の移動
赤軍の移動
最終的な独ソ境界線（1939年9月28日）
沼地
国境線（1939年9月1日）
0
100
200キロ
0
50
100マイル

地図1　ポーランド侵攻

反対に関心を寄せ、その後の新しい追加的なアプローチ［移動虐殺部隊や絶滅収容所など］を生み出した。

戦争開始の直後から、ドイツ政府はソ連が東ポーランドに侵攻するよう働きかけた。ソ連政府は当初は躊躇したが、それは部分的には政治的な理由からであり、またノモンハンで日本軍との戦闘が続いていたためでもあった。敗北した日本と戦闘終結の合意がまとまるやいなや［近年の研究ではソ連側の損害も相当に大きかったことが明らかになっている］、ソ連赤軍は東ポーランドに侵攻した。それはまさにポーランド側が冬の間［ドイツ軍への］抵抗を続けようと思っていた場所であった。ドイツの進撃と合わせて、このソ連によるポーランド侵攻が独立国ポーランドの運命を決めたが、この戦争におけるポーランドの役割がなくなったわけではなかった。ドイツ軍とソ連軍は、しかるべき儀式を行い［たとえばブレスト＝リトフスクではソ連赤軍とドイツ国防軍の共同軍事パレードが行われた］、秘密議定書に含まれていた境界線まで進んだ。ソ連軍は解放されたドイツ人戦争捕虜をドイツ側に引き渡したが、これは一九四五年に解放された英米人の戦争捕虜の帰還事業よりもずっと迅速かつ丁寧に行われた。一方で、ポーランドの軍艦数隻は連合国軍に加わるためにポーランドを脱出し、多数のポーランド兵士も逃げのびた。また、何人かのポーランド人諜報専門家も西側諸国に逃れた。彼らは戦争直前、ドイツのエニグマ暗号機解読に関する非常に重要な情報を英仏に提供していた。亡命政府は連合国側におけるポーランドの権益を代表するためロンドンに逃れ、イギリス政府による公式の承認を得、同様に米国やその他多くの国家からも承認された。

小規模のイギリス遠征軍（ＢＥＦ）は、動員されつつあったフランス軍に合流して国境地帯の要塞群に移動した。しかし、ポーランドに対するドイツの圧迫を緩和するための目立つ攻勢運動は行われなかった。航空活動がわずかに実施されたが、攻撃は厳密に軍事標的に限定され、ドイツの諸都市にはビラが投下されただけであった。ただし、ドイツ空軍による西側諸国の都市へのテロ攻撃計画が実行されると、この方針は一九四〇年に変化しはじめる。

ドイツはダンツィヒ自由市とポーランドの相当部分を正式に併合した。こうして併合された土地は、住民の大半を占める膨大な数のポーランド人と多くのユダヤ人を追放することにより、ドイツ化されることになっていた。ポーランド人は「総督府」と呼ばれる新しい行政区となった旧ポーランド領の中央部分に追いやられた。ポーランド総督府の統治は、故郷を追われた人々が追いやられる場所になるにつれて、厳格になった。ソ連に併合されたバルト諸国にいたドイツ系の文化的背景を持つ人々（のちにルーマニアの一部地域の人々も加わった）は、ソ連との合意にしたがってドイツ支配下のポーランドの収容施設に移送された。彼らはたいていポーランド人を追い出した家に住み着いたが、収容施設で何年も惨めに暮らす人々もいた。同時期には、第一次世界大戦後にイタリアに割譲された南チロル地方からも多数のドイツ人が移住している。ここで注目すべきは、こうした移住政策は、一九一九年の連合国の原則に対するドイツの代案だったということである。住民の国民的帰属に合わせて国境を引くのではなく、勝者に都合よく国境線を引き、その新たな国境に合わせて住民を移住させるというわけである。第二次世界大戦後、連合国はドイツ人に対して同じやり方を適用したが、ドイツが占領下の東欧諸国の一部に対してとったさらに過激な政策は採用しなかった。この政策は「干し草作戦（ホイアクツィオン）」と呼ばれるもので、「ドイツ系」に見える何千人もの赤ん坊や幼児を連れ去り、ドイツ人家族に養子として引き渡すことをともなうものであった。

2　海の戦い

一九三九年九月にドイツと連合国の間で始まり、一九四五年五月にドイツが降伏するまで続いた戦争は、海上、海中、海の上空でも繰り広げられた。ドイツの軍艦と補助艦（改装商船）の一部は交戦が始まる前に海外に派遣されており、連合国商船への襲撃を始めた。のちにはその他のドイツ軍艦もこの襲撃に加わった。この過程では劇的な事件があった。一九三九年一二月、アルゼンチンとウルグアイの沖合で起きたドイツのポケット戦艦「グラーフ・シュペー」とイギリスの巡洋艦三隻による戦闘である。この戦闘でイギリスの巡洋艦は損害を受け、「グラーフ・シュペー」は最終的に自沈した。一方、ドイツの潜水艦は、一九三九年九月三日の客船「アセニア」の撃沈を華々しい最初の戦果として、かなりの規模で船舶を撃沈しはじめた。イギリスは第一次世界大戦時よりも迅速に護送船団体制に切り替えたが、「大西洋の戦い」と呼ばれるこの海戦はその後一進一退が続いた。イギリス側ではドイツ海軍暗号の解読に時々成功していたが、これは船舶や護送船団がドイツ潜水艦の配置を避けるのに役立った。ドイツ潜水艦はしばしば、陸上の特別な司令部から無線で指令を受け、また同司令部に報告する群（パック）として配備されていた。護送船団を発見すると、先導する潜水艦が協同攻撃のために自群の他艦を召集するのである。こうした無線交信は傍受される可能性があったが、それはイギリス海軍と護送船団の交信でも同じであった。概して言えば、一九四三年までは暗号解読でドイツがイギリスに先んじることもあったが、それ以後は、米国の支援を受けるイギリスが終戦に至るまでドイツに先んじていたとするのが適切であろう。カナダ海軍の関与増大とその後の米国による護衛空母提供と同様に、「ハフ・ダフ」と呼ばれる短波方向探知機の開発も、連合国による海運保護作戦に寄与した。長距離航空機は、この任務に割り当てられるようになると、連合国による通商保護の取り組みのなかで重要な役割を果たした。軟式飛行船も、それほどではないにせよ貢献をした。

以上のほか、ドイツの海洋作戦に対して二つの形の支援があったことに触れておかなければならない。ドイツの長距離航空機は、潜水艦では発見が非常に困難だった船舶および護送船団を発見する手段として役立つこともあった。また、この長距離航空機は商船と護衛艦の両方を攻撃した。その一方で、戦争初期の数年間にはソ連からも支援が得られた。スターリンは、ドイツが連合国をヨーロッパ大陸の北部、次に西部、さらに南部から追い出すのを支援すると、東部で自国だけがドイツ軍の前に残されるということを認識していなかった。同様にスターリンは、ソ連がドイツに攻撃されたあとで、ソ連の支援を受けて撃沈された連合国船舶が海底から浮上してソ連に物資を運んだりしないということも理解していなかった。結局スターリンは、いくらかの海軍兵器と未完成の巡洋艦一隻と引き換えに、ドイツが海軍活動のためにムルマンスク港を利用することを許可し、ムルマンスク西方の北極海に面する基地をドイツ海軍に提供した。また、ドイツの仮装巡洋艦が、太平洋に侵入して連合国船舶を撃沈するために、シベリア沖の北方航路を通過できるようにした。ドイツの戦争努力にとってより重要だったのは、石油と非鉄金属などの重要物資の大量供給と、鉄道によって東アジアから運ばれたゴムおよびその他の重要資源の積み替え（トランスシップメント）［再輸出］であった（この鉄道はドイツがソ連に侵攻すると停止された）。

ソ連によるドイツ海軍への支援は、おそらくドイツ海軍総司令官エーリヒ・レーダー海軍元帥がのちにソ連攻撃に反対する一因となったが、彼は一九三九～四〇年冬の海戦でのその他二つの措置をアドルフ・ヒトラーに進言した。一九三九年一〇月初め、レーダーは米国船舶を計画的に撃沈することを主張した。レーダーは、第一次世界大戦において米国は重要な役割を果たさなかったとするドイツ指導部で一般的だった想定を共有していた。仮に、発見したすべての船の撃沈を許可することでドイツ潜水艦にとって状況が単純化するなら、米国と再び戦争する用意があったのである。その時点ではヒトラーは米国船舶への攻撃を許可しなかった。ヒトラーは、ドイツが米国と交戦できるほどの水上海軍を作り出すか、そうした海軍を持つ同盟国が得られるまでは、米国がその軍事的潜在能力を結集するような事態は望んでいなかった。一九四〇年夏、西部戦線で勝利したヒトラーの次の一手は、米国との戦争にそなえて大洋海軍の建設再開を命じることであったが、それが完了するまでは米国を眠らせておきたかったのである。

3　ドイツによるデンマークとノルウェーへの侵攻

レーダー海軍元帥が主張したもう一つの措置は、ドイツ海軍が大西洋にアクセスしやすくなるようにノルウェーを占領するとともに、連絡を容易にするためにデンマークを押さえることであった。

イギリスとの戦争に備えてノルウェーの基地を奪取することは、第一次世界大戦中のドイツ海軍の関心事であり、戦間期にも上位の懸案事項であり続けた。ヒトラーもまた、これをイギリスとの戦争における重要な措置とみなした。ノルウェーを占領する副次的な利点は、ノルウェー海岸沖の海域の管制により、冬季にスウェーデンからの鉄輸送の安全を確保できることである。というのも、ドイツは必要とする鉄の四〇%をスウェーデンに依存していたが、冬にはバルト海の大半が凍ってしまうのである［冬季のスウェーデン鉄鉱石輸出にはノルウェーの不凍港ナルヴィクが利用された］。ヒトラーはこうした作戦の準備を許可し、海軍総司令部の一部が疑念を呈した時にもこの作戦に固執した。ノルウェーをドイツの恒久的領土としてトロンハイムに大海軍基地を建設し、またトロンハイムをドイツ本土と高速道路で結ばれるドイツの一都市とすることは当初から想定されていた。

ヒトラーは、一九三九年秋の終わりに、低地諸国を通って西部戦線で攻撃を開始することを強く望んでいた。ポーランド戦役後の技術的な困難、軍内部からの反対、そして主に天気の問題の組み合わせが一連の延期をもたらした。ドイツ空軍には、侵攻を受ける中立国や同盟国のいかなる抵抗に対しても進撃するドイツ軍を支援し、広範な戦術支援を提供することが期待されていた。実際、ドイツ空軍は主にこうした役割を担うよう計画されていた。したがって、冬場の相次ぐ悪天候は攻撃延期に大きな影響を与えた。そしてその延期は、ドイツ軍が西部戦線での軍事行動に先立ってヨーロッパ北部を攻撃することにつながったのである。

一九三九～四〇年冬に行われ、当時多くの関心を集めた戦争は、ソ連とフィンランドの戦争である。独ソ連合によるポーランド征服の直後、ソ連はエストニア、ラトヴィア、リトアニアのバルト三国に対して、各国におけるソ連軍の駐留を認めさせた。これと同時にフィンランドに対して領土割譲やその他の譲歩を要求して交渉が行われたが、ソ連はこの交渉を一一月三〇日のフィンランド攻撃で終わらせた。こうした措置はソ連政府内で以前から検討されており、すぐに降伏すると目された国の傀儡政府が樹立された。しかし、現実はソ連の期待とは異なることが判明する。前線の最北部ではソ連赤軍が北極海に面するフィンランドの海岸を占領したが、南部と中央部では赤軍は頑強な抵抗に遭遇し、一部では局地的な敗北を被（こうむ）った。一九四〇年二月、大規模な増援により、ソ連は重要な前線南部でフィンランド軍を後退させることができた。スウェーデンが多少仲介したこともあり、和平交渉により三月に戦闘が終結した。フィンランドは国境の南部および中央部の領土の一部をソ連に割譲し、南西部にソ連海軍基地を建設することを許可した。一方、ソ連軍は北部で占領した領土から撤退した。傀儡政権は解散させられ、フィンランドから奪った領土に樹立されることはなかった。ソ連は国際連盟から追放され、一連の出来事すべては確実にソ連の国際的な評判を落とした。ドイツは戦争の初期段階における赤軍のお粗末な戦果から赤軍は絶望的に無能であるという確証を得ており、赤軍兵士がしばしば非常に困難な状況でも固い決意を持って戦い続けたという事実に注意を払わなかった。イギリスがフィンランドへの支援を口実にノルウェーを占領する可能性があったため、ノルウェー侵攻を求めるレーダー海軍元帥へのヒトラーの同意は強固なものとなった。

　デンマークとノルウェーへの侵攻に関するドイツの計画は、単純であると同時に複雑でもあった。いずれの侵攻も、第一次世界大戦に参加しなかった二つの中立国に対する、宣戦布告なしの奇襲にすぎないという意味で、その計画は単純なものであった。ノルウェーに対しては、ドイツの軍艦と兵員輸送船が、小規模の空挺（くうてい）部隊の支援を受けてノルウェーの主要地点を迅速に奪取する兵士を運ぶ。その一方で、デンマークに対しては、兵士を乗せた船がデンマークの港湾都市であり首都でもあるコペンハーゲンにとにかく入港するというものである。デンマーク政府とノルウェー政府は降伏するよう通告される。両国あるいはいずれかの国が降伏しない場合、その国は戦闘により壊滅することになる。この計画で複雑なのは、ノルウェー侵攻に関する部分であった。ノルウェーの海岸線は非常に長く、したがって互いに相当離れた複数地点で襲撃を実行することが必要であった。このことから二つの困難が生じた。ひとつは目的地まで上陸部隊を輸送および護衛するためにはドイツ海軍の水上艦艇のほとんどすべてが必要となり、したがってドイツの作戦を妨害するために可能なかぎりの行動を起こすと予想されていたイギリス海軍の攻撃に晒されるということである。二つ目は、ナルヴィク港がスウェーデンの鉄鉱山からの鉄道の終着点としてとくに重要であり、またドイツの基地から最も離れていたということである（地図2参照）。第一の問題については、ドイツ海軍はとにかく海戦に賭けなければならず、それは予想されていた以上に大きな損失を招くことになった。第二の問題については、ドイツの課題をより容易なものにすることが期待された二種類の支援があった。ナルヴィクで要職にあったノルウェー人士官の一人は、ドイツと内通していたノルウェー人の売国奴ヴィドクン・クヴィスリングの支持者であり、親独的だったため、ドイツの上陸部隊を支援することが期待できた。そのうえ、ソ連が用意した北極海沿岸の軍港のおかげで、補給船やその他の船舶はイギリス海軍から妨害を受けたりしない方角からナルヴィクに到達することがで

ドイツ軍の移動
海からの上陸と攻撃
空挺上陸
連合軍の移動
上陸、攻撃、撤退
撃沈された艦艇
国境線(1939年9月1日)
0 50 100 150 200 250マイル
0 100 200 300 400キロ
4月15日
英・仏・ポーランド軍
英第24近衛旅団
トロムソ
6月8日
ローフォーテン諸島
ハーシュタ
バルドゥ
ビェルクヴィク
ナルヴィク
オフォトフィヨルド
ヴェストフィヨルデン
5月15日
ボードー
5月31日
サルトフィヨルデン
5月30日
40年4月9日
ドイツ軍はオスロ、クリスチャンサン、スタヴァンゲル、ベルゲン、トロンハイム、およびナルヴィクに同時上陸
モー・イ・ラーナ
5月14日
モーシェーン
5月10日
4月16/17日
英第146歩兵旅団
トロンハイムスフィヨルド
5月2/3日
ノルウェー海
ナムソス
ステインヘール
4月19日
4月18日
英第15&第148歩兵旅団
トロンハイム
モルデ
5月1日
4月29日
オーレスン
ドラグセット
オンダルスネス
5月2日
4月30日
40年4月10日
軽巡洋艦「ケーニヒスベルク」、爆撃を受けて沈没
ティンセット
ドンボース
クヴァム
レンダル
5月25日
4月24日
リレハンメル
レーナ
4月21日
4月19日
ハーマル
エルヴァラム
ベルゲン
5月1日
ゴール
ミョーサ湖
ヘーネフォス
エステルダール
オスロ
コングスベルグ
スタヴァンゲル
4月27日
ハルデン 4月12日
アーレンダール
イェーセンフィヨルデン
クリスチャンサン
オスロフィヨルド
40年4月9日
重巡洋艦「ブリュッヒャー」、海岸砲台に撃沈される
40年4月9日
巡洋艦「カールスルーエ」、雷撃を受けて沈没
スカゲラク海峡
40年4月11日
重巡洋艦「リュッツォウ」、魚雷で損害を受ける
オールボー
カテガット海峡
ノルウェー
スウェーデン
デンマーク
(1940年4月9日ドイツ軍によって占領)
コペンハーゲン
北海
バルト海

地図2　ノルウェー侵攻

きた。

四月初旬、攻撃部隊を乗せた船とその護衛艦がドイツを出航した。同時に「デンマークとノルウェーに対する」降伏要求を届けるため、平服を着たドイツ人士官がコペンハーゲンとオスロに向かった。デンマークは直ちに降伏したが、ノルウェー人の大半がドイツの支配に抵抗することにもなった。ナルヴィクではクヴィスリングとの連携が役に立ったが、ノルウェー政府は降伏しなかった。ドイツの新しい重巡洋艦「ブリュッヒャー」は首都オスロに向かってフィヨルドを遡上する際に撃沈され、またノルウェー政府はオスロを離れて、その後イギリスに移った。ドイツ軍は重要な都市トロンハイムへの上陸に成功し、トロンハイムおよび同国内のその他の飛行場を占拠した。しかし、ナルヴィクに上陸した部隊は困難な状況におかれた。この部隊を運んできた駆逐艦一〇隻をイギリス海軍が無力化［撃沈ないし自沈］したためである。連合国の上陸部隊はナルヴィクを奪回したが、一九四〇年五月にドイツが西部戦線で攻撃を開始すると、同上陸部隊は撤退した。イギリスとフランス、ポーランドの部隊がトロンハイムから遠くない二地点に上陸したが、両地点とも指揮が拙く、航空掩護を受けていなかった。ドイツの制空と連合国側の全般的な混乱がノルウェー南部での戦闘において決定的であった。結果としてロンドンに亡命政府がもう一つできることになったが、連合国にとってはドイツのノルウェー征服から生じる重要な利点があった。

ノルウェー戦役のさなか、イギリス海軍は空母一隻とより小型の軍艦を数隻失ったが、最も重大な損害を被ったのはドイツ海軍であった。二隻の戦艦「シャルンホルスト」「グナイゼナウ」はどちらも魚雷により深刻な被害を受け、「ブリュッヒャー」に加えて数隻の巡洋艦が撃沈されるか損害を被った。一九四〇年七月一日に行動可能な状態にあったドイツ海軍の主要水上艦は、重巡洋艦一隻と軽巡洋艦二隻、駆逐艦四隻だけであった。破損した艦船の多くは修理されたが、一九四〇年夏の重要な時期に、ドイツ海軍戦力はイギリス侵攻を支援するのに十分な規模ではなかったのである。

とはいえ、ノルウェー征服は確かにいくつかの点でドイツの戦争努力の助けとなった。今や大西洋に直接アクセスできる海軍基地が手に入ったのである。ドイツがソ連に侵攻する際には、ムルマンスクのソ連海軍基地への攻撃拠点となるし、イギリス、またのちには米国が北方航路経由でソ連に支援物資を乗せた船を派遣するのを空と海から妨害するのにうってつけの施設もあった。最後に、ノルウェーを支配することで、スウェーデンに対し、ドイツの戦争努力にさらなる支援を提供するよう圧力をかけるのが容易にもなった。スウェーデンの船舶で鉄を輸送することに加え、ドイツ軍兵士と補給物資の輸送にスウェーデン国内の鉄道網の利用を認めるようドイツは要求した。ドイツは、スウェーデン人が鉄鉱山を自らダイナマイトで破壊することを恐れたためスウェーデン侵攻に踏み切らずにいたが、この戦争に勝利したのちにスウェーデンを容易に征服できると考えられていた。この征服計画は実際に戦争中に立案されたが、ノルウェーに駐留する部隊は、「この計画を実行する代わりに」連合国の侵攻に備えていた。ドイツは戦争が終わるまで連合国による侵攻を何度も予期していたのである。

デンマークの占領とノルウェー侵攻の時点では、ドイツはデンマーク領のアイスランドとグリーンランドにはほとんど、もしくは全く関心を払っていなかった。その代わりに、イギリスがアイスランドを占領するために行動を起こし、ローズヴェルト大統領はグリーンランドが西半球に含まれる［ヨーロッパ諸国の干渉を拒絶するモンロー主義の対象となる］と宣言した。これらの措置はその後、大西洋の戦いで連合国を助けることになる。しかしながら、一九四〇年の時点でドイツは海軍・海運資源が不足しており、より広範な戦争で重要性を持つことになるアイスランドおよびグリーンランドの占領を検討することすらできなかった。

ノルウェーでの連合国の敗北の直後、イギリス首相ネヴィル・チェンバレンは辞任した。この時、ハリファックス伯が与党保守党の次期首相候補として期待されていた。しかし、ハリファックス伯は戦争の重要な時期に貴族院から政府を率いるのはふさわしくないと考え、首相就任を断った。その結果、ウィンストン・チャーチルが首相となった――海軍大臣として、ノルウェー戦役における過失の責任の多くを負っていたにもかかわらず、である。新政府は、ドイツが西部戦線で攻撃を仕掛けた五月一〇日に組閣された。保守党と労働党、自由党の連立政権である。この連立政権は、戦争の残りの大半の期間、ほとんど閣僚を変更することなくイギリス政府を導いた。

一九三九年から四〇年にかけての冬のもうひとつの局面について言及しなければならない。その後の展開に大きな影響を及ぼしたからである。ドイツ国内の抵抗勢力とイギリス政府のあいだでは、公正な和平条約をドイツに提示する可能性をめぐって、さまざまな外交交渉が秘密裡に行われていた。ドイツ国内のヒトラー政権に敵対する勢力が、その政権転覆に成功した場合の話である。英仏両政府の回答は、ドイツとの和平にはチェコスロヴァキアとポーランドの独立が回復されなければならないという点で一致していた。これらの交渉に関わったドイツ側の抵抗勢力とヒトラー政権との違いがどのようなものだったにせよ、連合国にとってこの上なく重要な点が二つあった。明白な点は、一九四四年七月まで、ヒトラー政府の転覆が試みられなかったということである。もう一つの点は、ヒトラーに対するクーデターに加わる意思があるとされていた者たちの一部が、それでもなお中立国に対する一連の侵攻の計画と実行に関わっていたということであった。これはドイツ国内のヒトラー反対派にとっては明白な瑕疵とは思われていなかったかもしれないが、イギリス政府のドイツに関する考えに大きな影響を及ぼしていた。これら二つの所見のために、連合国の交渉者にとって、ヒトラー政権の国内反対者の信頼性は失われた。イギリス政府の新首相［チャーチル］――初期の交渉について知っており、同意していた――やその他の閣僚が導いた結論は、実際にクーデターが起こるまではさらなる交渉をすべきではないというものであった。クーデターが起こるなら、その時に、従うべき最善の方針について決定することになる。

第3章　西部戦線——一九四〇年

1　戦争計画

ヒトラーは、もともと一九三九年秋の終わりに西部戦線で攻撃を仕掛けることを望んでいた。一九四〇年春まで延期したことで、この攻勢に三つの大きな影響があった。第一に、ドイツには時間的余裕ができ、この時間を利用してポーランド戦役で直面した諸問題を改善したが、英仏両国ともに、ポーランド戦役で生じた事態から何の教訓も得られなかった。第二に、［連合国は］ドイツ国内のヒトラー政権反対派、とくに国防軍最高司令部（ＯＫＷ）の諜報部にいたハンス・オスター陸軍大佐から来る攻勢に関して繰り返し警告を受けていたが、それゆえに最後の（しかも正確な）警告が実質的に無視されるという予期しない結果となった。第三に、ドイツはこの時間差を利用して攻勢計画を大幅に変更した。これは英仏の対独防衛計画に致命的な影響を与えた。

早くも一九三八年五月には、ヒトラーは軍事顧問に対し、低地諸国を経由して西部戦線での進撃を開始すると伝えていた。一九三九年攻勢の当初の計画は、一九一四年の攻勢とは異なり、ドイツがベルギーとルクセンブルクに侵攻する場合、今回はオランダにも侵攻すると規定していた。右翼には強力な部隊が配備されるが、その主目的は将来の対英戦争に備えて港と基地を奪取することであり、一九一四年の計画の重要な特徴だったフランス軍の包囲ではなかった。この間、オランダ政府とベルギー政府はドイツを刺激することを恐れて、英仏と防衛努力を連携することを拒絶していた。このため連合国は、低地諸国が攻撃を受けてからその支援のために進軍することを決めた。墜落した飛行機に搭乗していたドイツ軍士官から得られたドイツの戦争計画（攻撃命令の一部を含む）をもとに、ドイツが当初意図していたとおりに行動するであろうと想定していたのである。低地諸国が戦略の連携を拒否したため、ドイツ軍がフランスになだれ込む前にその進軍を阻止しようとするなら、連合国は最も自動車化された部隊［移動手段として自動車を利用する］を前線に急派しなければならなかった。そのうえ、ドイツ軍をフランスからできる限り遠ざけておく構想の一環として、フランス軍総司令官のモーリス・ガムラン陸軍大将は、攻撃を受けた中立国を救援するために全軍の左翼にあたるオランダにフランスの主たる予備軍、第七軍を送り込むべきであると決定した。まるでこれでは緊急時に移動できるフランス部隊を減らすのが不十分かのように、ガムランは以前ドイツとの国境に沿って建設されたマジノ線の固定防御施設にも全軍の半分を配備した。

しかしドイツは、西部戦線の攻撃延期によって生じた合間に計画を変更した。侵攻軍の右翼を強化する代わりに、アルデンヌを通って攻撃を仕掛け、英仏海峡に向かい、その過程でオランダとべルギーの救援のためにやってくる英仏の部隊を遮断することを決めた。オランダとベルギーは、その後いくつかの策略の組み合わせにより無条件降伏を強いられることになる。たとえば、両国が適切に人員を配置して防御を固める前にドイツ空挺部隊が主要地点を奪取する。オランダがいかなる防衛体制を築こうとも、オランダ軍の制服を着たドイツ兵が混乱をもたらす。そして、諸都市に対する猛烈な爆撃と民間人に対する大規模な銃撃によって、軍だけでなく住民の士気も挫（くじ）くことが期待されていた。

2 西部戦線におけるドイツの勝利

ドイツ軍は五月一〇日に攻撃を仕掛け、空挺部隊によりベルギーの主要な要塞を奪取した。さらにアルデンヌを突破してムーズ川［マース川］を早々に渡河するため、装甲部隊と自動車化歩兵を集中させ、五月一三日には早くもムーズ川を横断した。戦車と自動車化歩兵が連携して英仏海峡まで押し進み、五月二〇～二一日の夜に英仏海峡に到達した（地図3a、3b参照）。この時までにオランダ政府はロンドンに亡命し、ロッテルダムの町の大半はドイツの空襲により壊滅し、オランダは無条件降伏していた。ロッテルダム爆撃は、イギリスが空軍に課していた制約を解除し、ドイツの諸都市に対する空爆の開始を許可することを決断する契機となった。ドイツ軍の突破に対抗する連合国の試みは失敗した。主としてフランス部隊の配置に欠陥があり、西側連合国間やフランス軍内部でも指揮系統が絶望的に混乱していたためである。ベルギーは相当規模の軍隊を動員し、その多くは有効に戦ったが、五月二八日に無条件降伏した。このため、連合国軍は弱体化した。連合国軍は両国を支援するために急行していたが、結果としてドイツ軍の英仏海峡への進軍によって孤立させられたのである。

フランス軍司令部は、ドイツ軍の突破経路の南方にフランス北部を横断する前線を新たに構築することを試みた。突破を成功に導いたドイツ軍集団の司令官ゲルト・フォン・ルントシュテット陸軍大将は、第一次世界大戦の時と同じく、数百キロに及ぶ前線における陣地戦を招くのではないかと危惧した。ルントシュテットは五月二四日付でヒトラーの承諾を得ると、英仏支配下の港に向かって進攻する装甲部隊を停止させた。フランスの新たな防衛線を突破できるように補給と修理を行うためである。ヒトラーは、ドイツ空軍が孤立した連合国部隊を破壊できるというドイツ空軍総司令官ヘルマン・ゲーリングの約束を信用したのである。ドイツ空軍はそれまでの進撃の支援に大いに貢献していた。効果的な防御戦、あらゆる種類の船の大規模な展開、本国基地から飛来するイギリス空軍、さらにはドイツ装甲部隊の一時的な進撃停止が合わさった結果、二〇万人以上のイギリス軍兵士と一〇万人以上のフランス軍兵士をダンケルクの浜辺から撤退させることができた。両軍の兵器は置き去りにされたが、イギリス陸軍の重要な部隊は生き残った。

フランス軍の新しい総司令官マキシム・ウェイガン陸軍大将は新たな防衛線を構築しようと試みた。そして北部で孤立し、イギリスに脱出した部隊がイギリスで再装備・再編されたのちに、新たな防衛線の増援に派遣されることを望んでいた。六月五日、その準備が整うはるか前にドイツ軍はこの新たな防衛線を攻撃した。数日間にわたる激しい戦闘ののちドイツ軍が突破に成功し、六月一

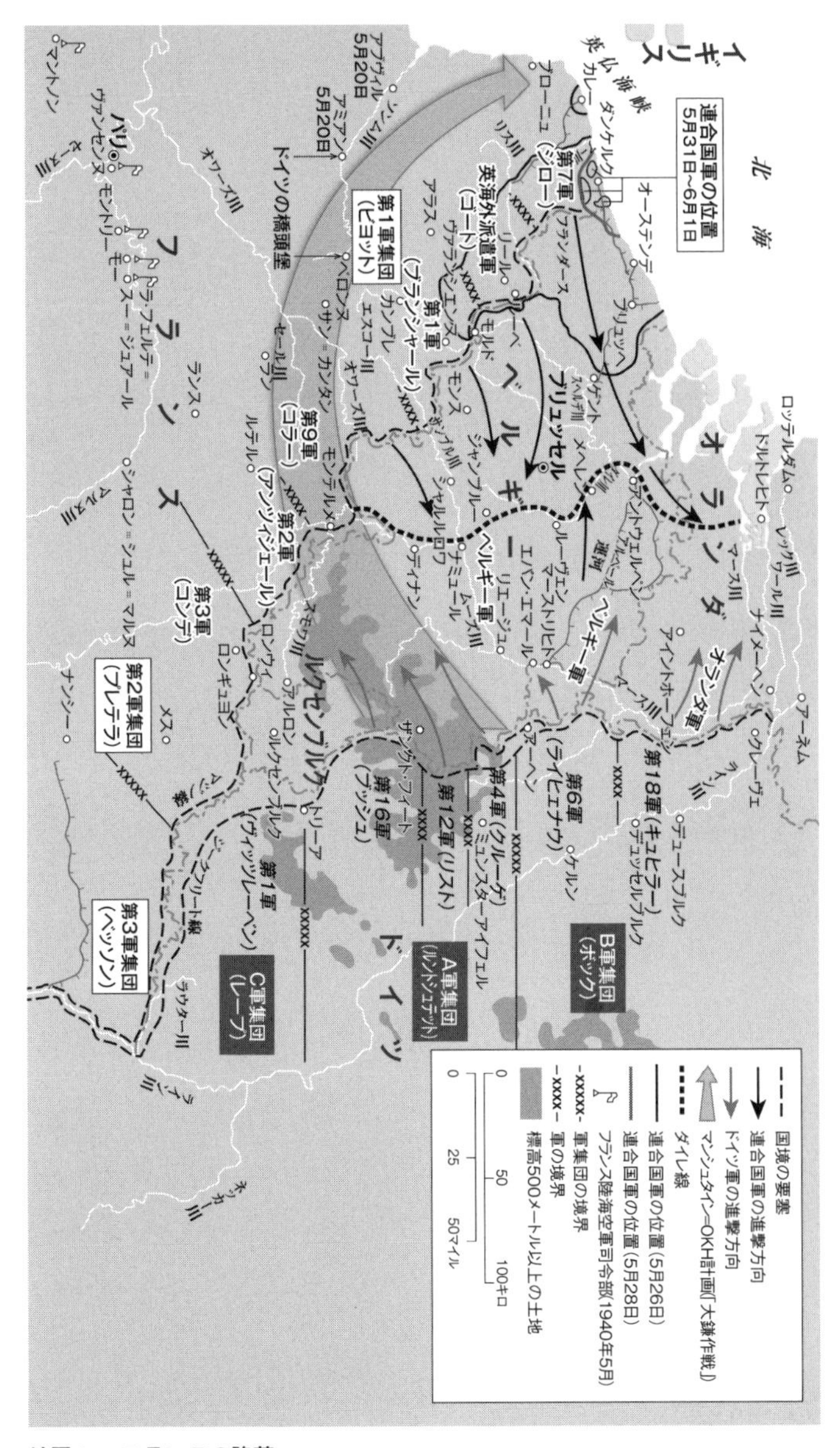

地図3a　フランスの陥落

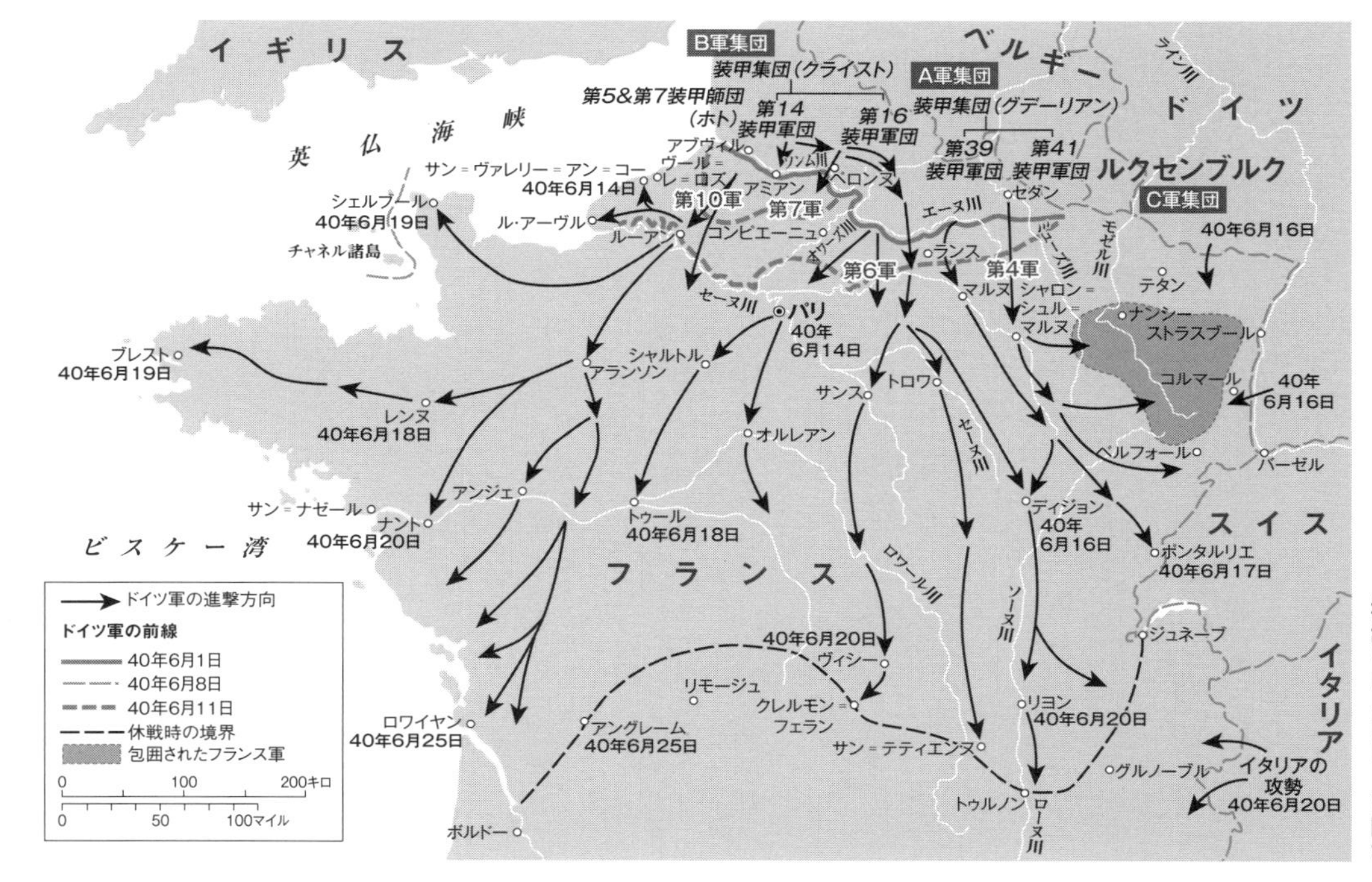

地図 3b　フランスの陥落

四日にはパリを占領した。いくつかのフランス軍部隊は勇敢に戦ったが、ドイツ軍は進撃を続けた。六月のこの頃、ドイツ陸軍部隊は、降伏したアフリカ植民地出身のフランス軍兵士を虐殺しはじめた。これはドイツ国防軍がポーランドでの蛮行からその後の戦役におけるいっそうの暴虐へと落ちてゆくさらなる一歩であった。

西部戦線におけるドイツの明白かつ迅速な勝利を受けて、世界各国の政府は新たな決断を迫られた。ベニート・ムッソリーニにしてみれば、ドイツの勝利が決まっている戦争の果実の一部でも得られるならば、対英仏戦争にドイツ側で参戦する好機であった。イタリアは大規模な戦争への準備ができていなかったが、ムッソリーニは第一次世界大戦の同盟国に対して宣戦布告した。フランスに対してアルプス山脈で小規模な攻撃を仕掛け、アフリカ北部と北東部できわめて限定的なかたちで戦役を開始した。一九三九年四月にスペイン内戦で勝利を収めたフランシスコ・フランコもドイツ側で参戦することを検討していた。しかし、フランコは新たな戦争に参戦したのちではなく、参戦する前にスペインの権益を確かなものにしたかった。フランコはさまざまな形でドイツを支援するが、当時もその後も、彼が望む地域の完全な支配について、ヒトラーから絶対的な保証が得られなかった。このため、スペインを名目上は中立にとどめていた。

ソ連はドイツのノルウェー占領を進んで支援しており、西部戦線でのドイツの攻勢についても強い関心を寄せていた。この戦役が驚くほど成功しているように見えたため、ソ連政府はドイツとの合意に基づいて自国が獲得すべきものを手にする時が来たと考えた。バルト三国が占領され、その後併合された。残るドイツ系住民は移住を許された。フィンランドには新たな圧力が掛けられ、ルーマニアはベッサラビアとブコヴィナの一部の割譲を余儀なくされた。すでに述べたように、ドイツに約束された地域を含むリトアニア全土が奪取され、ソ連政府とドイツ政府の間でフィンランドに対する要求とルーマニアに対する領土要求の範囲について議論があったが、これらの問題は外交的に解決された。スターリンは重要なことを理解していなかった。ソ連のこうした対応により、ドイツ政府は新たな決定［ソ連侵攻］を実行しやすくなったということである。

フランス政府は一九一四年の時と同様にボルドーに移ったが、フィリップ・ペタン陸軍元帥とピエール・ラヴァルの新指導部は、実質的に被害を受けていないフランス艦隊を活用して植民地帝国から戦闘を継続するよりも、フランスを戦争から離脱させることを決意していた。彼らはスペインを介して休戦を求め、ヒトラーは講和条件の提示に非常に前向きであった。なぜなら、その時点ではフランスの植民地帝国を奪取する手段はなく、フランス艦隊に戦闘を継続させたくなかったし、イギリスは容易に屈服させることができると考えていたからである。また、あとで検討するように、早くも一九四〇年の時点で、ソ連侵攻に備えて東方に軍を移動させることに関心を持っていたからでもある。こうした状況のもと、ヒトラーはフランスに対するムッソリーニの要求を抑え、英仏海峡沿岸と大西洋岸すべてを含むフランスの大半を占領することを決定する一方、一部地域は一時的に占領せず、無防備なままペタンの統治下に残した。ペタンは、独裁制として国内を改造されるフランスが、ドイツ支配下のヨーロッパでしかるべき地位を占めることを望んでいた。ドイツはフランスの新政権との協同には全く無関心であったが、それでもペタンは落胆しなかった。保養都市ヴィシーに樹立された政府は、占領地区を除くフランス国内およびヴィシー政権に忠誠を誓う植民地において軍隊を保有することが許された。この軍隊は、ドイツ軍、イタリア軍、日本軍とは決して交戦しないが、イギリス軍および［自由］フランス軍、のちに英仏両国に加勢する米軍とは常に戦うように指示されていた。独仏間と伊仏間の休戦は一九四〇年六月二四〜二五日の夜に発効した。その時点で一〇〇万人以上のフランス軍兵士がドイツの捕虜となっていた。のちに自由フランス運動として知られることになる抵抗運動において、少数のフランス人が昇進したばかりのシャルル・ド・ゴール陸軍准将と合流した。その後、数ヵ月のうちに中央アフリカと南太平洋のいくつかのフランス植民地がこの運動に加わったが、その一方で、ヴィシー政権は西アフリカからベルギーの金準備［最終的な決済のために保有される金貨・金地金など］をドイツに届ける手配をしていた。

イギリス政府はチャーチルを中心に、フランス政府に対して戦闘を継続するよう懸命に説得しようとした。イギリス政府は、大戦前に両国間で調印された単独講和をしないという協定に加え、この非常時に両国が一体となる計画を積極的に決定したが、フランスの新政府は一顧だにしなかった。イギリス政府はこの困難な状況下で決断を下すのにほとんど時間をかけなかった。イギリス本国からできるだけ長期にわたって、また必要であれば連邦（コモンウェルス）と帝国植民地からドイツとイタリアに対する戦争を継続する。こうした見解は、同国の職業将校団の大半と兵士多数がダンケルクからの脱出に成功したことによって助長され、ドイツの爆撃開始によって弱体化するどころか頑強になった銃後の結束によりさらに強化された。ドイツの侵攻を予期したイギリス政府は、国防のため年輩者からなる本土防衛隊（ホーム・ガード）を動員し、帝国参謀総長ジョン・ディル陸軍元帥の提案――上陸に成功したドイツ軍部隊に対して毒ガスを使用する――に同意した。イギリス政府は、ドイツがイギリス本国諸島の一部ないし全部を占領する場合に備えて、金と外貨準備［政府が保有する外貨］をトロントとモントリオールに輸送し、政府がカナダから戦争を指揮し続けながらイギリスの被占領地域でゲリラ戦を行う準備を始めた。

前王エドワード八世であるウィンザー公［離婚歴のあるアメリカ人女性と結婚するために退位した］がフランスのペタンと同様の役割を果たすことを考え、第一次世界大戦当時の首相デイヴィッド・ロイド＝ジョージがラヴァル［ヴィシー政権樹立に主導的な役割を果たした］を見習うつもりだった可能性はある。しかし、保守党・労働党・自由党は挙国一致内閣を組織し、ドイツに対する爆撃と封鎖、さらに被占領地域の住民が蜂起する際に――ドイツ軍は住民を搾取し、敵にまわすに違いないと考えられていた――彼らを支援する遠征軍を組み合わせることで、最後にはドイツに勝利することを期待していた。ウィンザー公はバハマ諸島に送り出され、［対独講和を求める］ロイド＝ジョージは依然として議会で孤立していた。ヒトラーは七月一九日にイギリスと講和する用意があることを示唆したが、その時までにイギリス政府では重要な決断がすべて下されており、外務大臣ハリファックス伯がドイツとの講和拒絶を公式に宣言した。

これより前、イギリス政府はフランスに対して、単独講和条約に調印しないという協定の遵守を免れたければ、フランス艦隊をイギリスの港に移動させるように要求していた。ヴィシー政府がこの要求を拒絶すると、イギリスはフランスの軍艦を武装解除させた。また、北アフリカにとどまっていた軍艦がフランス領西インド諸島への移動を拒絶した時には、これらの艦を海軍の砲火によって破壊した。それは同盟の哀しい終焉であったが、イギリス政府は［これらの艦をドイツが接収することはないという〕フランスやドイツの保証を信用することができなかったし、ドイツがフランス艦隊をイタリアとドイツの艦隊に編入した場合、ドイツの侵攻から自国を防衛することもできなかったのである。このことと関連して、ノルウェー戦役でのドイツ軍艦の損失と損害がきわめて重要であると判明した。そのうえ、ドイツはイギリス侵攻を計画していたため、〔ノルマンディー上陸を計画していた〕一九四四年の連合国と同様に、完全な制空がドイツにとって必須であった。

3　米国の反応

一九四〇年の春および初夏に西ヨーロッパで起こった劇的な出来事は、米国に大きな影響を及ぼした。この年には大統領選挙が行われる予定であったが、フランクリン・ローズヴェルトは以前の自らの意向に反し、三期目を目指して立候補することを決断していた。また以前および以後の米国の慣行に反して、著名な共和党議員を政権の要職に任命して一種の連立政権を作り出した。米国の中立法には最小限の修正がなされ、激論が果てしなく続いたが、さらなる修正がなされることになる。一九三八年末、ローズヴェルト大統領は真の空軍〔陸軍から独立した空軍〕の設立を求めた。大西洋と太平洋の両方で米国は危機に直面しており、彼は「両洋で戦える海軍（トゥー・オーシャン・ネイヴィー）」のための資金を議会に要求し、この資金は一九四〇年七月に承認された。その秋には、議会の過半数が、米国はごく小規模な陸軍ではなく相当規模の陸軍を必要としているということに合意し、初となる平時の徴兵が始まった。一年後には徴兵軍があやうく解散されそうになったが〔一九四一年八月に徴兵期間を一年延長する法案がわずか一票差で下院を通過」、陸軍は規模拡大と最小限の量の近代兵器の調達を開始した。英仏は米国の工場に軍用装備を大量に発注しており、［フランスの敗北後は］イギリスがフランスの契約を引き継いだ。これらの契約は改正中立法の「現金払い持ち帰り（キャッシュ・アンド・キャリー）」条項に基づいていたため、引き渡しが増えるとイギリスの資金は急速に減少した。こうした経緯が同年末のチャーチルのローズヴェルトに対する懇願につながり、これを受けてローズヴェルトは一九四一年三月に議会で承認される武器貸与（レンド・リース）制度を提案することになった。

ローズヴェルトは彼を取り巻く一部の助言者とは異なり、一九四〇年夏の時点でイギリスが持ちこたえることに確信を持っており、苦闘を続けるこの島国を支援するためにこの法律が許すかぎりの措置をとった。ローズヴェルトは残っていた第一次世界大戦の余剰兵器の一部をイギリスに送り、これらは本土防衛隊を武装させるのに役立った。彼は老朽化した駆逐艦五〇隻と引き換えに、西半球にある英領基地の米国への九九年貸与を取りつけた。この取り決めは、大きな危険が迫った時に米国の安全保障を強化するものとして大衆に提示された。米国ではイギリスへの武器貸与やそれに関連する諸問題が激しく議論されたが、一九四〇年一一月、有権者はローズヴェルトが前代未聞の三期目を務めることを許した。ある意味では、一九四〇年にドイツがイギリスを打倒しようと努めたことにより、一部の米国人はイギリス支援に賛成するようになった。ロンドン壊滅をもくろむドイツの行動をニュース映画やラジオ報道を通して知ったのである。

ドイツの勝利は軍事分野での新しい決断を導いただけでなく、ドイツ国内の状況に大きな影響を及ぼした。最も重要な国内的影響は、大衆がナチ政権支持で結束したことである。［第一次世界大戦中に」西部戦線で延々と続いた血みどろの戦闘の記憶が人々の脳裏に鮮明であった時、比較的わずかな損失で迅速かつ全面的に勝利したという印象は、ナチ政権に利益をもたらした。こうした大衆への影響のほかに、ドイツ軍への影響もあった。陸海空軍高官に対する大々的な買収作戦（極秘かつ非課税の贈与）に加え、フランスに対する勝利は将軍と提督らに昇進をもたらし、彼らはヒトラーの判断を信頼するようになったのである。以降の終戦までのドイツの結束は、ナチ政権に対する従来の支持がめざましく強化されたことを抜きにしては理解することができない。ナチ政権への支持は、今やアドルフ・ヒトラー個人と同一視される勝利への情熱によって増幅されていたのである。

4　ドイツ、ソ連侵攻を決断す

ヒトラーと陸軍参謀総長フランツ・ハルダー陸軍大将は、フランスとの休戦条約に調印する前から、ソ連侵攻の計画立案を開始していた。西部戦線での勝利は、東方でソ連から生存圏を獲得するための必要条件とされ、当初は一九四〇年秋にソ連侵攻を開始して同年中に完遂が可能と見込まれていた。この問題はあとでもっと詳細に検討するが、ドイツの指導者たちはイギリスの継続的な抵抗にも対処しなければならなかった。イギリス南岸への侵攻は、数万人の兵士が（数千頭の軍馬の支援を受けつつ）指定の海岸に上陸する計画であった。逮捕すべき者の名簿が印刷され、ロンドンの警察庁長官に就任する人物が指名された。侵攻に必要な制空はドイツ空軍が確保することになっていた。

のちに英本土航空戦（バトル・オブ・ブリテン）と呼ばれるようになる、六月末から九月前半にかけての戦いは、ドイツに第二次世界大戦で初めての大敗北をもたらした。双方の損失は相当なものであったが、イギリス空軍は国民の支持を受けて持ちこたえた。国民は講和要求へと靡（なび）かなかったのである。チェンバレン政権時代に発注され、ダウディング空軍大将が指揮をとったイギリス空軍戦闘機軍団は、防空レーダーと監視員（スポッター）、対空砲の支援を受けており、ドイツはこの戦闘機軍団を一九四〇年九月半ばまでに壊滅させられなかったことが明らかであった。この時期を過ぎると、侵攻を試みるには英仏海峡の天候が悪すぎるものになった。その年はもう侵攻ができなくなり、冬の間、イギリス諸都市への大規模な爆撃「ブリッツ」により相当の被害と死傷者が生じたが、それで国民の士気が挫かれることはなかった。むしろ、イギリス陸軍の士気を高めることになった。イギリス陸軍は再編・再武装されつつあり、ドイツ支配下の海岸を急襲する特殊部隊（コマンドー）を創設していた。ドイツ占領地域の住民のなかには、沿岸部での侵攻準備を爆撃するために、あるいはドイツ国内の標的を爆撃するために頭上を飛ぶイギリスの航空機を見て、形勢逆転への期待を募らせる者もいた。

英本土航空戦で敗北したことで、ヒトラーがイギリス侵攻を一九四一年まで延期することを余儀なくされたとすれば、一九四〇年のうちにソ連に侵攻するという彼のもくろみは、同様に以下の諸問題の影響を受けた。多数のドイツ軍を西部戦線からドイツの東部地域と占領下のポーランドに移動させなければならなかった。装備を修理し、増強しなければならなかった。西部戦線での戦役で生じた死傷者と航空機、戦車、およびその他の兵器の損失を埋め合わせなければならなかった。大規模なドイツ軍が駐留し、またそこから東方への進撃を補給することになるドイツ東部地域では、輸送設備と倉庫設備を大幅に改善する必要もあった。ヒトラーはこうした必要な準備が完了する頃には冬が近づいており、年内に戦役を完遂できないこと、すなわち侵攻は一九四一年春まで延期しなければならないことを一九四〇年七月末の時点で悟っていた。予想どおり迅速に勝利すれば、イギリスの士気は挫かれ、東アジアにおける日本軍の進撃に拍車がかかるであろう。これにより、ドイツが米国を攻撃する用意ができるまでの間、米国がヨーロッパで軍事行動を起こさないように牽制することができる。東方での戦役に関するドイツの計画は一九四〇年八月までにかなり進んでおり、これは第4章で検討することになる。すでに一九四〇年八月には、こうした準備の外交の側面が国際的状況に影響を及ぼしていた。ドイツはフィンランドに対する方針を逆転させ、今やフィンランドがソ連に吸収されるのではなく、ソ連に対する攻撃を支援することを期待するようになった。ハンガリーとルーマニアの領土問題もドイツによって解決され、ドイツはルーマニアの領土を保証するとともに兵士を派遣し、ルーマニアがソ連侵攻に参加することを要求した。

ソ連指導部はこうしたドイツの方針の変化に気づき、一一月にヴャチェスラフ・モロトフ外務人民委員［外務大臣］を新協定の締結のために派遣した。この交渉には何の成果もなかったが、スターリンはドイツがソ連を攻撃しようとしているとは、依然として信じようとしなかった。ソ連諜報部が入手したヒトラーの一九四〇年一二月の侵攻指令の写しも、ヒトラーの反対者が米国に提供しローズヴェルトが一九四一年二月にスターリンに伝えた同指令の要約も、このソ連指導者の目を覚まさせることはなかった。スターリンはドイツに重要な物資を供給し続け、自国の軍隊に警告を発することもなく、一九四〇年一〇月に始まったドイツによる上空からのソ連偵察を妨害しようともしなかった。

5 アフリカと中東における戦争

ドイツがイギリスへの爆撃を行いつつ、ソ連侵攻の準備をしている間、ムッソリーニはイタリア軍にアフリカで小規模な行動を起こさせた。イタリア軍は北東アフリカで英領ソマリランドという小さなイギリス植民地を占領した。しかしながら、その後、エリトリアおよび伊領ソマリランド、占領下のエチオピアのイタリア軍は、一九四一年二月にケニアから攻撃を仕掛けたイギリス軍に抵抗することができなかった。イタリア軍は敗北し、捕虜になるか孤立した要塞で包囲された。［ロンドンに］亡命していた皇帝ハイレ・セラシエ一世はアディス・アベバ［エチオピアの首都］に戻り、一九四一年四月、ローズヴェルトはもはや紅海は交戦海域ではないと宣言した。エジプトにいるイギリス軍のために補給物資を輸送する米国船が、喜望峰を廻ってスエズ運河で積み荷を降ろせるようにである。その時までにローズヴェルトは、中東のイギリス軍に対する空からの補給路も確立していた。アフリカ西岸のタコラディ［ガーナの港湾都市］からド・ゴール将軍［率いる亡命政府側］についたフランス植民地を経由するルートである。

この間に、イタリアは他にも一連の敗北を喫している。ドイツはムッソリーニに対して、バルカン半島を静かにしておくことを望むとはっきり伝えていた。ドイツ軍兵士がルーマニアに派遣されつつあると知った時、ムッソリーニは、ドイツが先手を打って、他国が——ソ連であれ、イタリアであれ——ルーマニアで大きな役割を果たすことができないようにするためのものだと結論づけた。一九四〇年一〇月末、ムッソリーニはイタリアの役割を主張するため、ドイツ政府に諮ることなく、ギリシャ侵攻を命じた。ドイツ政府が事前にルーマニアへの派兵をイタリア政府に相談しなかったのと同様である。ルーマニアとギリシャの立場は次の点で異なっていた。ルーマニアはソ連に割譲した土地を取り戻す——そしておそらくそれ以上の領土を獲得する——ためにドイツと協力してソ連と戦うことを予期していた。一方、ギリシャは独立を守るためにイタリアと戦ったのである。ギリシャは、一九四一年三月のマタパン岬沖海戦でイタリア艦隊を破ったイギリスから最小限の支援を受けてうまく戦い、イタリア軍をアルバニア（一九三九年にイタリアが占領）まで押し戻した。加えて、北アフリカのイタリア軍も負けつつあった。

リビアのイタリア軍は、ギリシャに侵攻したイタリア軍と同じぐらい指揮が拙く、準備も不足していた。エジプト国内への短期間の進撃もあったが、その後イギリスが軍を増強するのをイタリア軍は座して待っていた。本国諸島に危機が迫っているにもかかわらず、チャーチルはエジプトに増援と装備を送ることを主張したのである。一九四〇年一一月一一日、イギリスの航空機がタラント港のイタリア戦艦数隻に損害を与え、以降のイタリア海軍の地中海における活動を妨げた。一二月九日、イギリスはエジプトのイタリア軍を攻撃し、この奇襲により敗北させ、エジプト＝リビア国境に向けて一〇〇キロほど突進した。翌年一月初め、イギリス軍は再び攻撃を仕掛け、同月および翌月にベダ・フォムでイタリア軍を壊滅させ、一〇万人以上を捕虜にした。イギリス軍の進撃はエル・アゲイラで停止した。これは一時的な停止となるはずであった。しかし、一九四一年のうちにリビアの残りの地域を奪取する可能性は断たれた。イタリアの敗北に対するドイツの反応と、同盟国イタリアを救うためにドイツが講じた措置に対するその後のイギリスの対応のためである［北アフリカの英軍主力部隊がギリシャ防衛のために派遣され、北アフリカでの攻勢が停止された］。

ギリシャとアフリカにおけるイタリアの軍事的失態は、ドイツ指導部に二つの現実的な問題を突きつけた。もしイタリアの植民地帝国のすべてが、かなりの確度をもって想定されるように実際に失われるなら、これはムッソリーニ政権の転覆につながるかもしれなかった。ヒトラーはこれを非常に懸念しており、リビアに遠征軍を派遣するという以前の提案を繰り返した。ムッソリーニは、前回は拒絶したが、今回は受け入れた。これがヒトラーお気に入りの将軍の一人、エルヴィン・ロンメルが率いたドイツ・アフリカ軍団の起源である。一九四一年二月、同軍団はリビア防衛とエジプトへの進撃を支援するため、北アフリカに派遣された。

ドイツ政府は、イタリアの苦境が別の危機をもたらすとみていた。ギリシャ国内の基地から飛来するイギリス軍の航空機が、ドイツの戦争努力に不可欠なルーマニアの油田を攻撃する可能性である。ドイツにとってこの問題に対処する最善の方法は、ブルガリア、また場合によってはユーゴスラヴィア南部からドイツ軍がギリシャを攻撃することであった。イタリアの侵攻を食い止めるため、まさにこれらの国境地帯ではギリシャの兵力が手薄になっていたのである。ブルガリアから合意を取りつけるのは簡単であろうと予想されていたし、実際に簡単であった。ブルガリアには第一次世界大戦後に失ったエーゲ海の海岸線をもたらすギリシャ領土が約束された。一時はユーゴスラヴィアとも合意に至るかにみえたが、一九四一年三月二七日にベオグラードで発生したクーデターによって頓挫した。このクーデターにより、ドイツとの密約に調印した政府が転覆したのである。そこでヒトラーはギリシャだけでなくユーゴスラヴィアも攻撃することを決めた。

一九四一年四月六日の日曜日、ドイツはユーゴスラヴィアの首都ベオグラードに対する大規模な爆撃およびユーゴスラヴィア、ギリシャへの迅速な進撃で作戦行動を開始した（地図4a、4b参照）。ユーゴスラヴィア侵攻は、同国を征服するだけでなく、第一次世界大戦時のようにユーゴスラヴィア陸軍を南方へ撤退させないように計画されていた。この点についてドイツは成功し、ユーゴスラヴィアでの戦闘を速やかに終結させるために、ユーゴスラヴィアの一部割譲を提示して、イタリア、ハンガリー、ブルガリアを引き込んだ（ドイツもユーゴスラヴィアの一部を併合した）。しかし、この地域はドイツが望んだほどには平穏にはならず、抵抗運動のせいでその後もドイツ軍とイタリア軍の駐留が必要となった。また、ドイツは北ギリシャに侵入して、そこに派遣されていた小規模なイギリス軍を追い出すことにも成功した。航空優勢と、要所で空挺部隊の支援を受ける装甲部隊による迅速な進撃が、ドイツ軍が比較的迅速かつ成功裏にギリシャ全土を占領するうえで助けとなった。

ギリシャを征服したことで、ドイツはクレタ島への攻撃が可能になった。空挺部隊と水上艦が連携する侵攻は、イギリスの頑強な抵抗に対して成功を収めた。イギリスは再び部隊を撤退させなければならなかったが、ドイツ空挺部隊には多数の死傷者が出ていたため、以降大戦中に空挺作戦が命じられることはなかった。マルタ島に対するドイツとイタリアの協同攻撃により、同島にあったイギリスの航空機および潜水艦の基地は苦境に立たされたが、同島奪取を支援する空挺部隊の利用を見送ったため、枢軸国側の計画は成就しなかった。マルタ島に補給物資と兵器を輸送する護送船

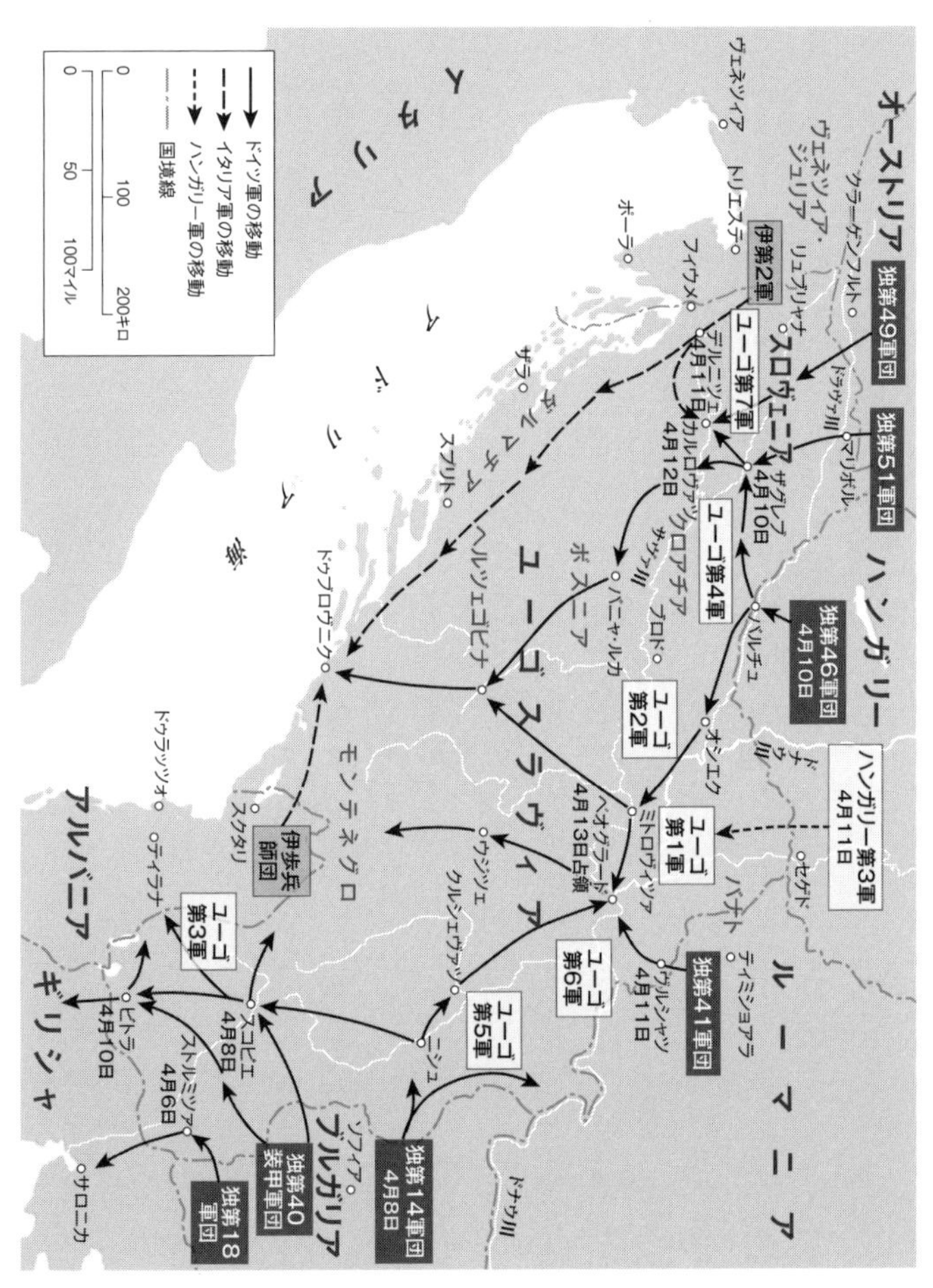

地図 4a　ユーゴスラヴィア侵攻

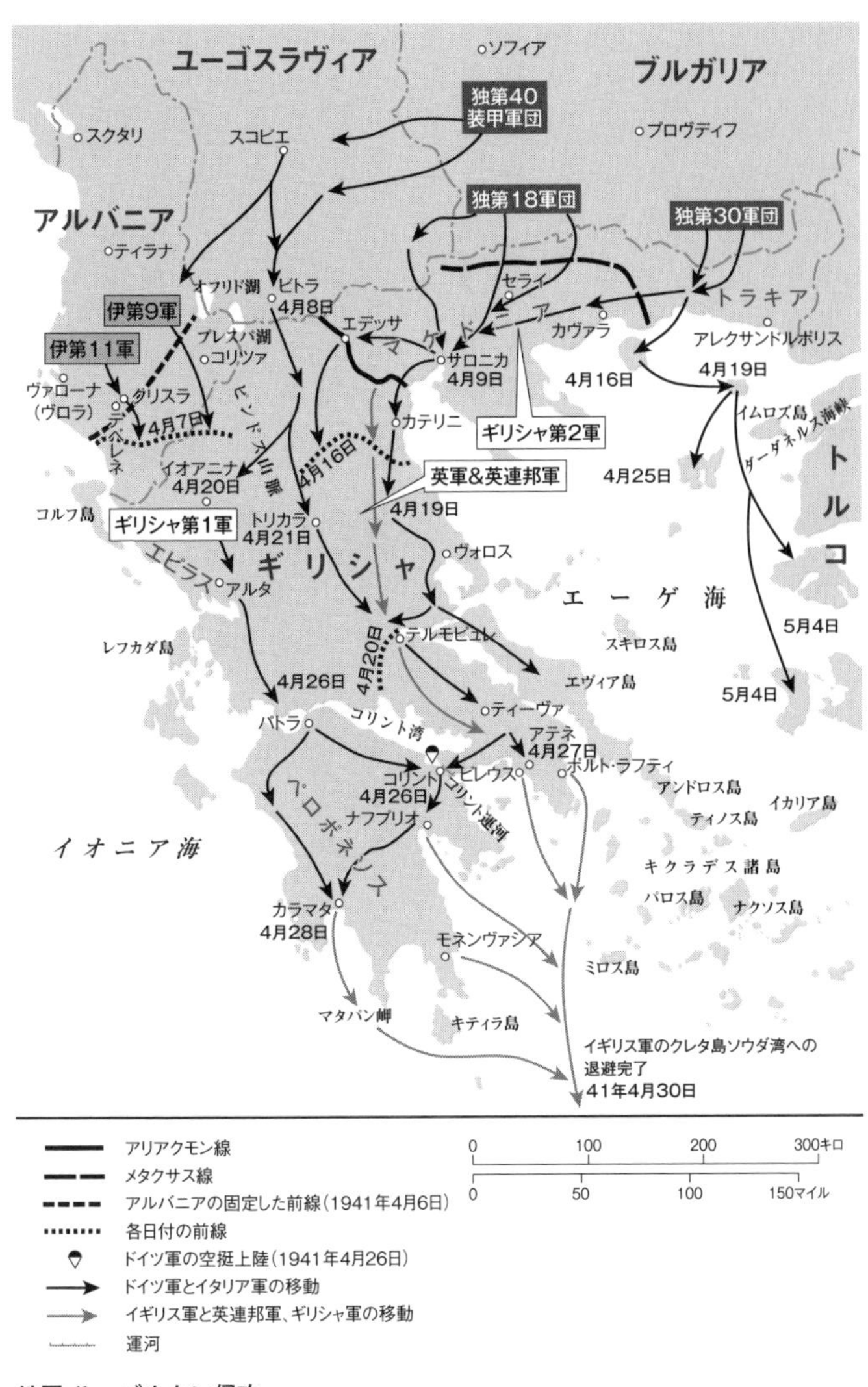

ユーゴスラヴィア
ソフィア
ブルガリア
独第40
装甲軍団
スクタリ
スコピエ
プロヴディフ
アルバニア
独第18軍団
独第30軍団
ティラナ
オフリド湖
ビトラ
4月8日
セライ
トラキア
伊第9軍
エデッサ
マケドニア
カヴァラ
アレクサンドルポリス
プレスパ湖
伊第11軍
コリツァ
サロニカ
4月9日
4月16日
4月19日
ヴァローナ
（ヴロラ）
クリスラ
ピンドス山脈
イムロズ島
ダーダネルス海峡
4月7日
カテリニ
ギリシャ第2軍
4月16日
イオアニナ
4月20日
英軍&英連邦軍
4月25日
トルコ
コルフ島
ギリシャ第1軍
トリカラ
4月21日
4月19日
ヴォロス
エピラス
アルタ
ギリシャ
エーゲ海
4月20日
テルモピュレ
5月4日
レフカダ島
スキロス島
4月26日
エヴィア島
5月4日
ティーヴァ
パトラ
コリント湾
アテネ
4月27日
コリント
ピレウス
ポルト・ラフティ
アンドロス島
4月26日
コリント運河
イカリア島
ナフプリオ
ティノス島
ペロポネソス
イオニア海
キクラデス諸島
パロス島
ナクソス島
カラマタ
4月28日
モネンヴァシア
ミロス島
マタパン岬
キティラ島
イギリス軍のクレタ島ソウダ湾への
退避完了
41年4月30日
0
100
200
300キロ
0
50
100
150マイル
アリアクモン線
メタクサス線
アルバニアの固定した前線（1941年4月6日）
各日付の前線
ドイツ軍の空挺上陸（1941年4月26日）
ドイツ軍とイタリア軍の移動
イギリス軍と英連邦軍、ギリシャ軍の移動
運河

地図 4b　バルカン侵攻

団はかなりの損失を被ったものの、この島は地中海におけるイギリスの作戦行動の基地を提供し続けた。

一時は、この戦域のすべてが枢軸国の前に陥落するかのように見えた。ロンメルは三月末にリビア国内で攻撃を仕掛け、すみやかにイギリス軍をエジプトに追いやった。ロンメルは港湾都市トブルクを攻略することができず、イギリスがギリシャとクレタ島から撤退させた部隊を再編する間、足止めされた。しかし、イギリスは六月半ばの「バトルアクス」攻勢でロンメルが率いる独伊連合軍を破ることができなかった。その一方で、四月にイラクで起きた親枢軸国勢力の反乱は、主にインドから派遣されたイギリス軍によって五月には鎮圧された。イラクの指導者ラシッド・アリ・アル＝ガイラニは、パレスチナのアラブ民族主義者ハジ・アミン・アル＝フセイニ同様、中東からイギリスを追い出すのを手助けすることを望んでドイツへと逃れた。彼はドイツ、イタリアによる統治が、イギリスによる支配よりも厳しいものになろうなどとは少しも考えていなかった。イラクにおける反乱に対するドイツのわずかな支援は、フランス委任統治領であったシリアを介してもたらされた。ヴィシー政権はドイツを支援するため、シリアであらゆる便宜をはかった。これを受けて、イギリスは六月八日にシリアに侵攻した。前年の対独抗戦での失敗とは異なり、シリアに駐留するフランス軍は、オーストラリアおよびイギリス、自由フランス、インドからなる連合国軍に対して、七月一四日の休戦まで善戦した。ドイツは［ヴィシー政権軍に］十分な支援を提供することができなかった。なぜなら、ドイツはソ連侵攻に集中しており、ドイツの計画では、ソ連侵攻の前ではなく、ソ連侵攻ののちに中東を征服することになっていたからである。中東においてドイツの大規模な軍事行動による差し迫った危険がないことが明らかになると、イギリスはシリアをド・ゴールに任せた。イラクとシリアにおけるイギリスの勝利は、のちの展開に重要な影響を及ぼした。イラク、シリアがカフカス地方［コーカサス地方、黒海とカスピ海に挟まれた地域］を南から脅かす枢軸国の基地とならずに済み、その代わりにソ連への南回りの補給路が連合国の手中にとどまったのである。

第4章　バルバロッサ作戦——ドイツのソ連侵攻

1　ソ連侵攻計画とホロコースト

ドイツのソ連侵攻計画の立案は一九四〇年夏に始まった。ヒトラーはこの過程で、冬が訪れる前の短期間の戦役に間に合うよう迅速に準備を進めることができないと悟った。彼は当初この戦役を一九四〇年中に完遂することを期待していたのである。一九四〇年七月三一日、ヒトラーは軍高官たちに一九四一年春の侵攻開始を伝えた。西部戦線からの部隊の移動だけでなく、東プロイセンおよびポーランドのドイツ支配地域における輸送と物資供給の改善などの具体的な準備が直ちに開始された。ドイツ陸軍総司令部（ＯＫＨ）では一九四〇年夏から秋、さらに翌年年初から数ヵ月かけていくつかの想定に基づいて侵攻計画を立案したが、その想定のほとんどが誤っていたことがのちに判明した。ソ連への侵攻は一九四一～四二年の冬が来る前には完了すると考えられていた。また最初の猛烈な攻撃によってソ連政権は完全に崩壊すると想定されていたのである。しかし、一九三九～四〇年のフィンランドとの冬戦争におけるソ連赤軍の惨憺たるありさまは、多数の赤軍兵士がきわめて困難な状況下で戦い続けたという事実を覆い隠していた。そしてドイツとその同盟国が対峙することになるソ連軍兵士に関する以前からの過小評価を助長したのである。ソ連の訪問使節団は、ドイツのⅣ号戦車が製造される工場を見せられた時に、ドイツが大型戦車を作る工場を見たいと要請した。このソ連側からの言外のほのめかしにもかかわらず、ドイツはソ連の装甲部隊と歩兵部隊を相手とする戦役では、当時ドイツ最大であったⅣ号戦車で十分であろうと想定していた。

［ソ連侵攻作戦では］フランス侵攻で鹵獲した戦車や、チェコスロヴァキアから接収した戦車が多数利用されることになる。多種多様のドイツのトラックや他国から接収したトラックも同様に利用された。数少ない概して貧弱な道路を長征する戦役では、予備部品や補修設備が必要となる。しかし、こうした多種多様な装甲車両とトラックの予備部品や補修設備といった兵站の問題にはほとんど関心が払われなかった。当初の予定では、対ソ戦で迅速な勝利を収め、続いて中東で進撃を開始することになっていた。赤軍に勝利するまで東部戦線の軍に補充戦車を送る予定はなく、したがってこれらの補充戦車には［中東での戦役に備えて］砂漠用の迷彩塗装が施されていた。

ソ連侵攻への外交的準備には、フィンランドとルーマニアをドイツ側に取り込むことが含まれていた。両国が、それぞれソ連に割譲せざるを得なかった領土を回復し、場合によってはソ連からさらに領土を奪うことを望むであろうという読みは正しかった。中立国スウェーデンは、占領下のノルウェーとの往来だけでなく、フィンランド＝ソ連前線の北端での侵攻に参加するドイツ兵士の通過を許可するよう説得された。前線北部ではドイツの一個軍集団がバルト諸国経由でレニングラード［現在のサンクトペテルブルク］に進撃し、その一方でより大規模な軍集団がモスクワとその先を目指して前線中央部で攻撃を仕掛ける。南方では、相当規模のルーマニア軍の支援を受けた三つめの軍集団が、農業と工業が発展したウクライナを征服、さらに石油を産出するカフカス地方を奪取する予定であった。

来る戦役でのルーマニアの役割について計画するのと関連して、ヒトラーはルーマニアの指導者イオン・アントネスク陸軍大将［のちに陸軍元帥］に対してこの侵攻の重要な目的を直接説明した。一九四一年六月一二日の会談において、進撃するルーマニア軍とドイツ軍が占領する地域に住む多数のユダヤ人の処遇について問われたヒトラーは、ユダヤ人は殺害されるべきであると答えた。この会談が始まるまでに、ユダヤ人殺害を担う、ドイツの保安警察(ジポ)および制服着用の「秩序警察(オルポ)」の特別部隊の編成および任務適応の準備が広範に進められていた。同様に、ドイツ陸軍に随行ないし後続して、ソ連国内のユダヤ人全員を計画的に殺害する別の部隊［出動部隊(アインザッツグルッペン)］の準備も進められた。侵攻部隊が急速に進撃するなか、この任務には地域ごとの多様性と問題があった。しかし、勝利しつつあった国防軍（ヒトラーと陸軍参謀総長ハルダーの目には上々の戦役と映った）の完全な支持を受けて、七月末までにヒトラーは計画的な殺害計画をヨーロッパ全土に広げることを決めた。そして一〇月の進撃再開は、ヒトラーが一一月、パレスチナ・アラブ人の急進的な指導者ハジ・アミン・アル＝フセイニに対し、ユダヤ人殺害計画の全世界への拡大を断言するのにも一役買っていた。

2　ドイツ、ソ連に侵攻す

一九四一年六月二二日の早朝、ドイツは、三〇〇万人超の兵士と六〇万頭超の軍馬からなるドイツ軍と約五〇万人のルーマニア軍・フィンランド軍をもってソ連侵攻を開始した。ドイツ空軍はソ連の飛行場とわずかながら離陸できたソ連航空機を攻撃し、最初の数日間で数千機を破壊、この戦役の初期段階の制空を確保した。スターリンの失策のおかげで、ドイツは戦争初期には容易く勝利することができた。一九三七〜三九年に経験豊富な士官を粛清したせいで、ソ連赤軍には熟練した経験豊富な士官があらゆるレベルで不足していた。国土の一部が占領された場合の国内の反発を恐れて、前線の近くに部隊が集中的に配備されており、そのためにこれらの部隊は包囲されやすくなっていた。一九三九〜四〇年にかけて、ソ連は併合によって西へと拡大したが、新たな要塞を建設する時間が十分になく、昔の要塞も放置されたままであった。したがって、領土併合はソ連の防衛能力を強化するというよりも脆弱にしたのである。スターリンは、ソ連の諜報および米英政府からの諜報を信じようとしなかった。このため、侵攻の何ヵ月も前からソ連上空を飛行していたドイツ軍の偵察機が撃退されなかったばかりか、ドイツ地上軍による攻撃は多くの場所で抵抗を受けなかった。なぜなら、スターリンは偵察機の撃退や攻撃への抵抗がドイツの報復攻撃を招くと考えていたからである。こうした状況下で、ドイツ装甲部隊は前線の北部および中央部で赤軍の多くの部隊を迅速に突破した。何万人という赤軍兵士が降伏し、大量のソ連軍兵器がドイツ軍の手に落ちた。

このように戦争初期に一連の勝利を挙げたことで、ヒトラーと陸軍参謀総長ハルダー大将は、東部戦線での戦いは実質的に最初の六週間で勝利に終わったという印象をもつに至った(地図5参照)。

初期の攻撃におけるドイツ軍の戦術的勝利は見事なものであったが、戦闘開始から二ヵ月のうちに現れたいくつかの特徴はすでに異なる結果を示唆していた。そのことを理解している者は、ドイツ軍司令部にはほとんどいなかった。技術的側面では、ドイツのどの戦車よりも優れたソ連戦車KV―1とT―34が登場した。一九四一年秋、ドイツではより強力な戦車の開発・生産命令が出されたが、新型のV号戦車パンターとVI号戦車ティーガーが戦場に投入されたのは一九四二年後半になってからであったし、相当数が利用できるようになったのは一九四三年になってからであった。人的側面に関していえば、ドイツ軍が多数の捕虜、さらに多くの民間人を射殺したことにより抵抗継続に拍車がかかり、そのため多くの場合に赤軍兵士が粘り強く抗戦し、時に農村地帯に潜伏していることにドイツは気づいていなかった。政治的側面についていえば、以降終戦までの間、決定的に重要な意味をもつ事実があった。ナポレオンと戦ったアレクサンドル一世と同様に、あるいは第一次世界大戦期のニコライ二世および臨時政府とは異なり、ソ連政権はまだ占領されていない地域の実質的支配を維持していた。このため、新たな師団を動員して戦場に送ることができたし、かつてウラル地方に建設された工場で兵器を生産し続けながら[戦闘の影響を受ける地域にある]工場を疎開させることができた。ドイツの損失補塡能力が低下する一方、ソ連は数年にわたって、すべての損失を補塡することができたのである。

また、戦闘開始から数ヵ月の間でさえ、ドイツとその同盟国が前線の北端と南端で非常に頑強な抵抗に遭遇したことに注目しなければならない。北方では、ソ連のムルマンスク港を奪取する予定のドイツ軍部隊は目的を達成することができなかった。ドイツ軍が足止めを食らったのは、ムルマンスクのかなり西方だった。皮肉にも、独ソが同盟関係にあった時、ドイツ海軍による基地保有をソ連が認めた場所である。そのうえフィンランド軍は、一九四〇年三月の講和条約でソ連に割譲した領土を通って進撃したものの、ムルマンスクとロシア内陸部を結ぶ鉄道網を遮断することも、またレニングラードを目指して攻撃するドイツ軍と合流することもできなかった。前線の南端では、ルーマニア軍とドイツ軍はいくらか進撃したが、対峙するソ連赤軍を壊滅させることも、軍司令官たちが望んだようにウクライナに迅速に進撃することもできなかった。

北方のドイツ軍集団は、リトアニアとラトヴィア、またエストニアの大半を奪取することができたが、レニングラードへの進撃は赤軍の抵抗によって停滞した。ヒトラーはレニングラードを完全に破壊するつもりであったため、市街戦による奪取ではなく、包囲戦によって住民と防衛軍を餓死させることを望んだ。レニングラードは封鎖され、大量の餓死者を出すことになるが、ラドガ湖経由の水路で（また冬には氷上を通って）補給物資がいくらか届けられたため、一九四四年一月に完全に解放されるまで持ちこたえた。

前線の中央部では、ドイツ軍は再び二つの大規模な突破＝包囲戦を行い、スモレンスクを越えて前線を移動させた。しかしドイツ軍が兵士の疲労や、装甲部隊および自動車化部隊の損耗・損失のために進軍を停止している間に、ソ連軍は再び統一的な前線を構築した。赤軍は相当な追加部隊を得ただけでなく、局地的な反攻においてドイツ軍を足止めしたり、エリニャ市のようにドイツ軍を

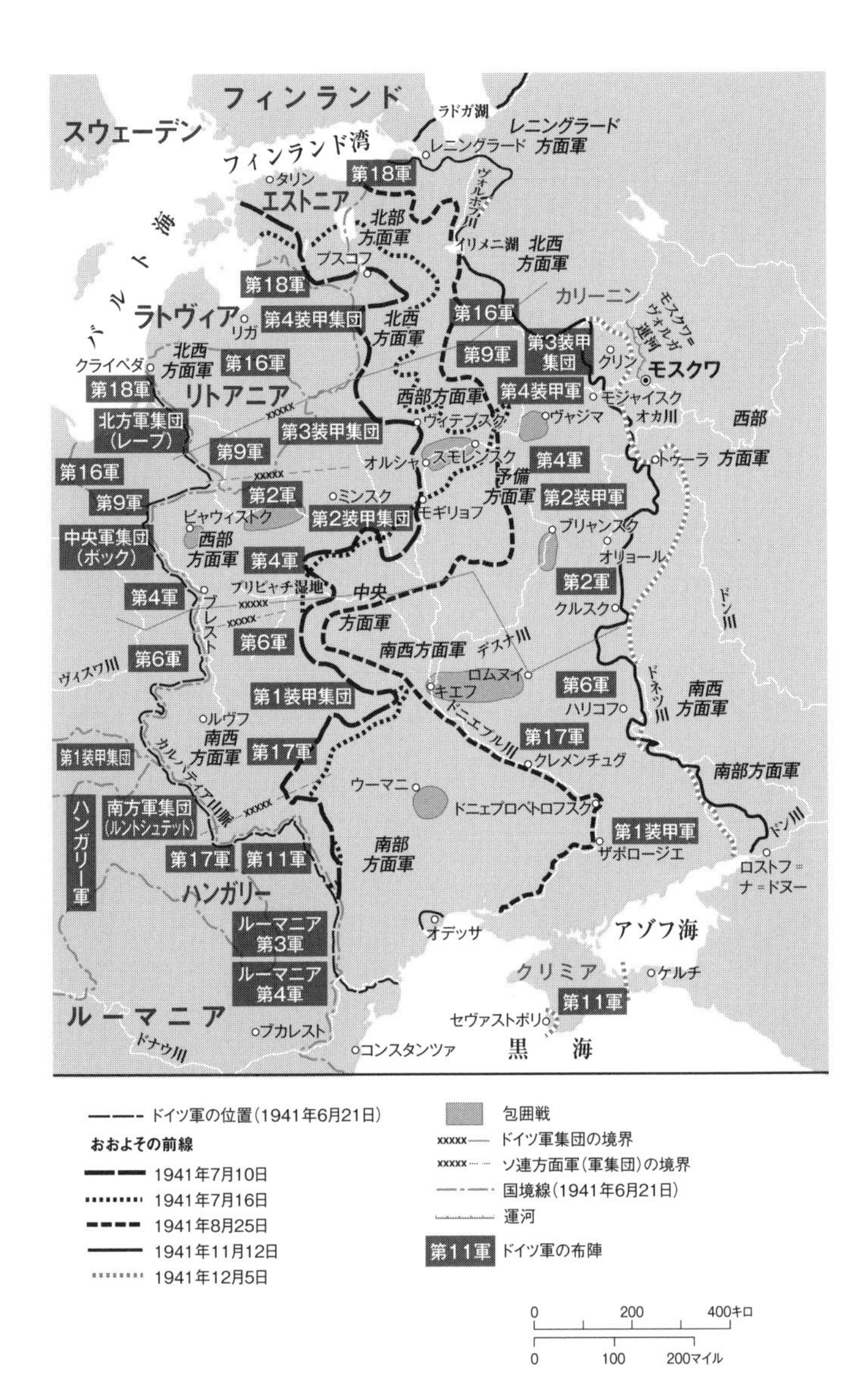

地図5　バルバロッサ作戦

押し戻したりした地域もある。ドイツ軍がモスクワに向かって新たな大攻勢をかけるには、直近四ヵ月で使い果たされた膨大な物資を補塡するための鉄道と道路を修復する必要があることは明らかであった。しかも、前線南部のドイツ軍とルーマニア軍の進撃は、前線中央部におけるほど順調ではなかったため、ドイツ軍がモスクワへの進撃を再開した場合、南方から側面攻撃(フランク)を受けるおそれがあった。つまり、前線中央のドイツ軍が進撃すればするほど、その側面が脆弱になるのであった。前線中央の部隊が進撃を遅延せざるを得ないなか、ヒトラーはドイツ中央軍集団に対し、南方の軍集団が北方へ攻撃するのに合わせて、南方へ攻撃するよう命じた。スターリンはこの作戦を前にして撤退を求める軍の助言を聞き入れなかったために、のちにキエフの戦いと呼ばれるこの戦闘により、キエフと、ウクライナの農業・工業地域だけでなく、数十万人の兵士を失った。

ドイツがモスクワへの大規模攻勢を準備する間、一〇月までに、雌雄を争う両国への支援が始まった。ハンガリーはドイツ側で参戦して小規模な軍を派遣した。これは主として、ドイツからみたルーマニアの重要性が極度に増すのを恐れたためである。ムッソリーニは無視されることを望まず、前線南部でドイツ軍と並んで戦うために数師団を派遣した。クロアチアとスロヴァキアの傀儡国家からも分遣隊が送られると同時に、スペインの独裁者フランシスコ・フランコはいわゆる青師団［ディビシオン・アズール］を派遣した。この師団は前線の北部で戦い、西側連合国からの圧力を受けてスペインに帰還した時には、はるかに小規模なスペイン義勇兵部隊がこれに交代した。また、ドイツはヨーロッパの占領地域でも義勇兵を募り、やがてウクライナとデンマーク、ノルウェー、フランスの義勇兵からなる部隊がそれぞれ編成された。シャルルマーニュ部隊と呼ばれたフランスの義勇兵部隊は、しまいには一九四五年のベルリン防衛を手伝った。また、ドイツ側で兵籍に入ったウクライナ人などの赤軍脱走兵も多数いた。

イギリス政府は、ドイツがソ連に侵攻したことを知ると、すぐにソ連への支援を決定した。軍用装備の貨物は可能なかぎり早く発送された。もっともその量は少なく、中身はマラヤ［英領マレー］への増援装備から引き抜かれたものであった。イギリス軍とソ連軍はイランを占領した。支援を送るのに、南北を結ぶ鉄道を活用するためである。このルートは最終的に米国からソ連への支援物資の四分の一を運んだ（別の四分の一は北方の港ムルマンスクとアルハンゲリスクへ送られ、また半分が太平洋を渡って海路ないし空路で運ばれた）。ローズヴェルト大統領はソ連が侵攻に耐えることに彼の顧問たちよりも自信を持っていた。こうした見解は、スターリンと会って状況を見極めるためにモスクワに派遣された側近ハリー・ホプキンスによってさらに強固になった。当初、米国の大衆に対して、ロシアに支援を送るのは名案だと言い聞かせるのは困難であったが、時間の経過とともに状況が変わった。イギリスの大衆にとっては、今や有力な同盟国が共に戦っているという感覚だけでなく、イギリスを爆撃していたドイツ空軍が東部戦線でのドイツ陸軍の支援にまわったという安堵感もあった。ソ連に派遣された英米両国の外交および軍事の代表者は、以前のドイツの代表者ほどには手厚く扱われなかったが、果てしない困難と不平にもかかわらず、三ヵ国の軍事同盟は持続した。

ドイツの進撃および占領が始まってから数ヵ月もすると、ソ連の現地住民にもドイツの方針の主な特徴が見えてきた。さらに重要なことに、噂やその他の手段により、当該地域以外のソ連国民にもそれが伝わった。民間人の大量殺害と病院・精神病院の患者の虐殺、戦争捕虜の計画的な餓死

（捕虜に食料と水を運ぼうと試みた現地住民は射殺された）により、ソ連国民は、この戦争が自らの生存を賭けた戦いであることをすぐに自覚した。新たに占領された地域の成人と高齢者のほとんどは、第一次世界大戦でドイツやその同盟国の軍隊による占領を経験していた。彼らは、当時の占領も悲惨な出来事だったが、今度は全く異質な軍隊だということをすぐに見抜いた。ユダヤ人の計画的な殺害について現地住民がどのように考えていたにせよ、彼らの大半は自分たちが次の標的になるかもしれないと悟った。ウクライナとバルト諸国の国民の多くは、当初、ドイツが彼らをソ連の抑圧的支配から解放してくれると考えていたが、土地収用および民族根絶こそがドイツの重要な目的であると理解するに至った。スターリンは、共産化の過程で死者が何人出ようとも、ウクライナ人が良き共産主義者になることを望んでいた。これに対してヒトラーは、今やウクライナ人を根絶やしにし、ドイツ人入植者をもって代えるつもりであった。ウクライナ国民の一部は、この違いに全く気づかなかったのは確かである。しかし、時がたつにつれて、ますます多くの人々がそのことに気づいた。一九四二年春の時点でのドイツ側の見積もりでは、ソ連侵攻開始から七ヵ月で二〇〇万人以上の赤軍捕虜が殺されるか、ドイツ管理下で病死ないし餓死したとされた。これは間断なく毎日一万人の犠牲があったことになる。これはすべて現地住民の目の前で起きたのである。当時こうした統計値を知る者はわずかな例を除いていなかったが、基本的な事実は誰にとっても明らかであった。スターリンはドイツ軍のおかげで、憎悪および恐怖される独裁者から、ソ連国民の善良な保護者かつ救済者になったのである。

3　一九四一～四二年冬の東部戦線

一九四一年一〇～一一月にかけて、ドイツはソ連に向けて進撃を開始した。ドイツ軍部隊は一部地域でじりじりと前進することができた。しかし、当初は一部地域ではかなり進撃するも、別の場所では最小限の進撃にとどまったため、戦果は相殺された。外国の大使館はモスクワから待避し、首都にある諸施設の破壊および政府機関の移転のために詳細な計画が立てられた。しかし前線は維持され、ドイツ軍部隊がますます消耗する一方でソ連赤軍は増強された。ドイツの将軍たちの戦後の回想録を読んでもわからないが、冬が寒く、雪が深かったのは、ドイツ軍にとっても赤軍にとっても同じであった。ただ、ドイツは単純に言って、こうした環境に慣れていなかった。そのうえ、北アフリカでのイギリス軍の進撃に対応するため、ドイツは一個航空艦隊［ドイツ空軍最大の編制単位］のすべてを地中海に移すことを余儀なくされ、きわめて重要な時に東部戦線でドイツ航空戦力が弱体化することになった。

ドイツ軍が依然として中央部で苦戦しながらのろのろと前進していたのに対し、赤軍は前線の北端と南端で局地的な勝利を収めた。南方では、ドイツの進撃はカフカス地方への入り口にあたるロストフ＝ナ＝ドヌーに到達していた。一一月末のソ連の反攻はドイツ軍をロストフ＝ナ＝ドヌーから追い出し、さらに西の地点まで押し戻した。北方では、フィンランド軍と合流することを目指してチフヴィンに到達したドイツ軍が同様に押し戻された。モスクワ近くの前線では、一二月初め、ドイツ軍が進撃を停止した。ソ連が大規模な反攻を開始しようとしていた、まさにその時であった。

日本国内にいるソ連スパイからの報告、さらに満洲において日本軍の大規模な集結がないことは明白であったことから、スターリンは、日本が四月にソ連と締結した中立条約を遵守すると決断したこと、そしてソ連の極東地域を攻撃することでドイツ側で対ソ戦に参戦するのではなく、米国、イギリス、オランダを攻撃しようとしていることをはっきりと理解していた。これは極東のソ連軍――その多くがかつて日本軍と戦った経験がある――の大半をヨーロッパに移動させ、少なくとも部分的には新しく組織された部隊で置き換えることができるということを意味した。一二月初め、シベリアから移動した師団で増強された赤軍は、完全に油断かつ疲弊していたドイツ軍の前線中央部を攻撃した。ドイツ兵がパニックになって逃げだした地域もあれば、頑強に戦った地域もあったが、短期間のうちにソ連が大勝利を収めた。ドイツ軍の進撃が停止し、少し押し戻されたというだけでなく、赤軍はいくつかの場所でドイツ軍の防衛線を突破し、相当規模のドイツ軍部隊に包囲の脅威を与え、西へと前進した(地図6参照)。悪天候に備えた装備がなかったため、ドイツ軍の兵士と兵器は凍りつき、栄養不良の馬は深い雪から装備を引っ張り出すことができなかった。しかし、主に二つの理由から、この時のドイツ軍の敗北によってドイツ側前線が完全に崩壊することはなかった。

前線のドイツ軍司令官たちは、どこか防衛しやすい線まで撤退することを望んだ。その一人エーリヒ・ヘプナー陸軍大将は、実際に撤退して包囲されつつあった大部隊を事実上救ったが、ヒトラーはこの撤退要請を拒絶していた。ヒトラーはヘプナーの撤退に激怒した。そして正式な軍法会議

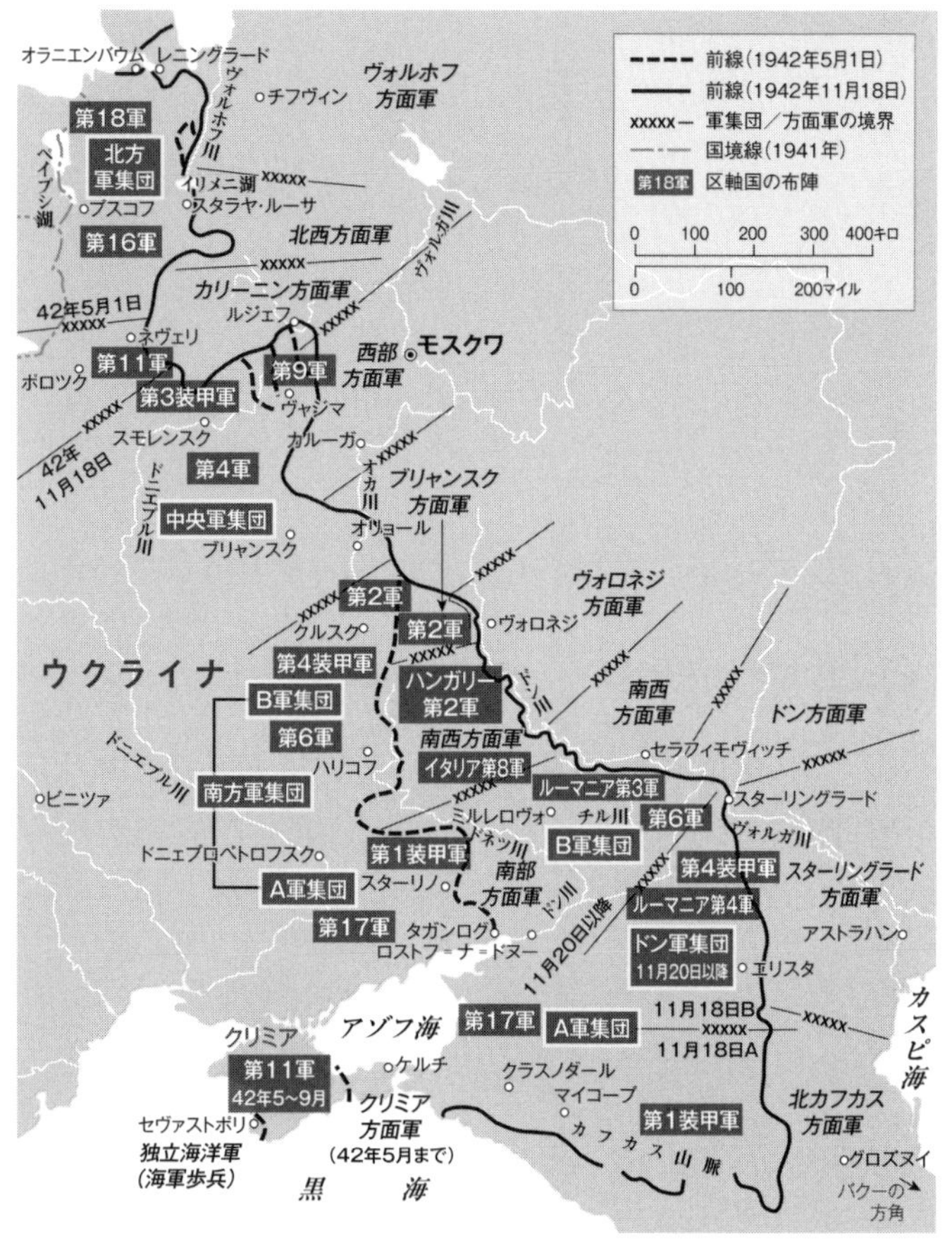

地図6　ドイツ＝ソ連前線（1941年）

を経ずしては、ヘプナーを陸軍から追放し、年金受給と軍服着用の権利を剝奪することができないと言われると、激昂したヒトラーはすべてのドイツ人から手続き上の権利をすべて奪うためにドイツ国会を開催することを決めた。一九四二年四月、ナチ期で最後に開催された熱狂的なドイツ国会はこれを承認するが、これによって一二月の前線の危機的状況が変わることはなかった。逆に、ヒトラーは兵士たちがどこにいたとしてもその場にとどまり、たとえ包囲されたとしても現在の位置で戦うよう命令した。ドイツ軍はホルムとデミャンスクで包囲されていたが、ドイツ軍の前線は攻撃に耐えはじめた。同年春ドイツ陸軍が孤立した部隊と再び合流するまで、ドイツ空軍は補給物資の供給に成功した。ヒトラーはこの時の経験から、一年後にスターリングラードで孤立したはるかに大規模なドイツ軍部隊に対して同様の手配をしたのかもしれない。

しかし、ドイツ軍が前線中央部で持ちこたえ危機を回避することができた第二の主要因は、前線の南部と北部で攻勢を開始するというスターリンの決断であった。スターリンは、モスクワ近くでの緒戦の勝利に重ねて追い討ちをかけることに集中しなかった。それどころか、かつてヒトラーがソ連軍を過小評価していたように、今やドイツ軍を過小評価していたのである。ドイツ軍は前線中央部を固める時間を得た一方で、ソ連赤軍の攻勢は相当な犠牲を払ってわずかに前進しただけであった。この前線は非常に不安定に見えたが、ソ連を粉砕するというドイツの希望が完全に断たれたことを象徴していた。他方、ソ連にとっては、今後きわめて長期にわたる困難な戦役が待ち構えていることを象徴するものでもあった。一九四二年三〜四月に前線が固定化したのちも戦闘は続き、東部戦線は引き続き第二次世界大戦の戦闘の大半を占めることになる。

4 占領下と非占領下のソ連地域

前線のソ連側では、避難した諸産業が機能しはじめ、とくに赤軍のために兵器や弾薬などを生産するようになった。労働条件は悪く、食糧不足も悪化したが、人々はきわめて熱心に働いた。新たにかなりの規模の陸軍師団が召集されたし、以前に小規模ながら実施された、粛清により投獄された士官や将軍たちを解放する計画が拡大された。他の交戦国と異なり、ソ連は何十万人という女性を兵籍に入れ、補助的な役割だけでなく、ソ連空軍の飛行中隊を含む戦闘部隊にも配置した。米国が提供した輸送機の支援も受けて、パルチザン運動中央本部［モスクワを拠点とするラトヴィア人のパルチザン組織］が弾薬と士官、そしてソ連国内のドイツ占領地域におけるパルチザン運動の指揮を提供した。これはドイツ軍を後方での治安作戦で足止めし、重要な時にドイツの輸送と通信を妨害し、諜報の収集を助けた。そしてドイツ占領地域の住民は、再びソ連体制に戻る可能性が高く、それを念頭に行動するのが賢明であることを気づかされた。

前線のドイツ側では、アルフレート・ローゼンベルクを長とする文民政府が事前に準備され、前線からかなり離れた地域に樹立された。より前線に近い地域では、軍政が敷かれた。両方の地域で広範な経済的搾取があり、ドイツやその他の場所での強制労働のために人々が拘束された。後方部隊と一時的に後方に配置された前線師団が行った、いわゆる対パルチザン作戦は、ほとんどの場合、民間人の大量虐殺を行い、パルチザンが脱出した時には共同体の焼き討ちに向かった。その結果、パルチザンは新しいメンバーを募集するのが容易になった。ドイツは、国家に収穫物に関する決定権を与えるソ連の集団農場制にとくに大きな関心を示し、そのため残るいくつかの個人農場にも集団農場制を拡張した。ドイツは元戦争捕虜を含む協力者を集めることができた。彼らはこれで餓死を免れられると考えたのである。ごく限られた地域では、ドイツ人農家の大規模な植民計画（最終的に劣等とされるスラヴ系住民に取って代わることになっていた）がほんの一部だけ実施されはじめたが、こうした実験を行う時間はほとんどなかった。ドイツ軍高官は敬愛する指導者からの定期的な賄賂に加え、東部で広大な地所を得ることを期待していた。しかし、ナチ政権が設置を計画していた武装された村に、普通のドイツ人が大挙して自発的に定住したであろうかという疑念を表明してもよいかもしれない。彼らはたぶん、地元紙の強制移住者一覧に自分の名前を見つけることになったであろう。

ドイツは、ルーマニアが以前ソ連に割譲した土地に加えて、ウクライナ領の一部をルーマニアに委譲した。トランスニストリアと名づけられたこの領土はルーマニアの植民地となり、そこでは多数のユダヤ人が殺害され、ルーマニア人の役人が私腹を肥やす機会を得た。フィンランドも一九四〇年の条約で割譲した土地を取り戻した。さらにカレリア地域を手に入れるというフィンランド政府の願望は、ドイツ――フィンランドを併合するつもりだったが、伝えていなかった――だけでなく、米国からの圧力によって挫折した。イギリスと異なり、米国はフィンランドに宣戦布告していなかったが、フィンランドにやり過ぎないよう警告していた。

ドイツがソ連を迅速に敗北させられなかったために、戦争全体の見方が変わることになった。一九四〇年にイギリスが［ドイツによる侵攻の試みを］耐え抜いたにもかかわらずドイツ人の大半は勝利を確信したままであったし、ドイツ人以外の多くの人々はどうすればドイツを打倒することができるか思案していた。今や状況が変わって一部のドイツ人は戦争の結果を心配しはじめた。一方、連合国はより自信をもって将来を展望するようになった。日本が東アジアで攻撃を仕掛け、イギリスとソ連とともに公に参戦するよう米国を引きずり込むと、この見方の変化はさらに確かなものになった。

第5章　日本の中国戦線拡大

1　日本、戦争の拡大を決断す

一九三七年七月以降、日本は中国との間で公然と戦争していた。日本は一九三八年一月に和平交渉の可能性を拒絶し、中国の抵抗に対して散発的な進撃を繰り返した。日本政府の指導者たちは、中国の共同体の果てしない破壊、民間人の殺害やレイプ、また概して忌まわしい振る舞いが中国の抵抗を徐々に、しかし着実に強化し、蔣介石率いる国民党政権の支持を高めているとは思いもよらなかった。日本は、他国からの補給物資が中国軍に戦闘を続けさせていると考えていたのである。ソ連が陸路で供給した補給物資、ソ連以外の国々がビルマ公路や仏領インドシナから延びる滇越（てんえつ）鉄道［ベトナムのハイフォンと中国の昆明を結ぶ］を介して送った補給物資を中国側は何でも歓迎したが、中国はそれをもって戦闘の継続を決断したわけではない――中国はこの外部からの支援があろうとなかろうと、戦闘を継続したであろう。日本政府は中国との戦いに集中していたため、一九四〇年四〜六月の西部戦線におけるドイツの勝利は、中国に対する外部からの支援の大半を遮断する機会とみなされた。

日本はフランス政府に対し、滇越鉄道を閉鎖するよう数年にわたって外交ルートで交渉したが、うまくいかなかった。しかし今や別の選択肢があるように思われた。日本陸軍が仏領インドシナ北部を占領し、それによってこの支援ルートを遮断するというものである。この要請に対し、仏領インドシナの植民地政府が忠誠を誓うヴィシー政府は喜んで同意した。一九四〇年九月、ヴィシー軍が仏領西アフリカのダカールにイギリス軍および自由フランス軍が接近するのを阻止するべく戦っている間に、日本軍はひっそりとインドシナ北部を占領した。ドイツがフランスに勝利したことでイギリスが置かれていた危険な状況を背景に、日本はイギリス政府に圧力をかけ、ビルマ公路を三ヵ月間閉鎖させることができた。三ヵ月後、英本土航空戦（バトル・オブ・ブリテン）で勝利したイギリスは、ビルマ公路の運用再開が可能であるとみなし、実際に運用を再開した。

日本政府の指導者たちは、ドイツに指摘されるまでもなく、オランダとフランスの敗北により、両国の東アジアにおける植民地が、日本帝国拡大の魅力的な標的となったと理解していた。加えて、イギリスは予想されるドイツの侵攻から本国諸島を防衛し、また実際にイタリアから中東における拠点を防衛する必要があったため、南・東南アジアの広大な植民地とオーストラリアおよびニュージーランドの自治領の防衛は、不可能ではないにせよ、きわめて困難であった。シンガポール奪取の好機だとドイツ政府が指摘した時、日本政府は一九四六年に奪取予定であると返答している。それは、米国議会で可決された法律に基づき、一九四四年に独立予定であったフィリピンにある米軍基地を米国が放棄する年であった。ドイツ政府は、日本が南進する際に左側面に位置する米国に関する懸念が、日本を抑制している要因であると理解した。ドイツはどのみち米国と戦争するつもりであったため、日本が米国を攻撃した場合、すぐに対米戦争に参戦すると約束した。そうすればドイツは、米国が議会の承認を受けた両洋海軍の建設を完了する前に、その時点ではドイツがまだ建設できていない大海軍［日本海軍］を味方につけるであろう。日本の松岡洋右外務大臣が一九四一年三月にドイツを訪れた時、ヒトラーはこの約束を自ら繰り返した。

日本政府内の議論は侵攻のタイミングの問題を中心とするもので、一九四一年六月のドイツのソ連侵攻に影響を受けた。日本政府は、一九四〇年九月に締結された三国同盟のパートナーであるドイツ、イタリアとともに対ソ戦に加わるよりも、南進することを選んだ。ソ連は自国の存亡を賭けて戦っていたため、日本が南進する際に後方から攻撃することも、中国国民党に大規模な支援を提供し続けることもできないことは明らかであった。したがって、一九四一年七月に日本軍は仏領インドシナの南部を占領し、明らかに対中戦争への集中を止めて、南太平洋だけでなく東アジアと東南アジアのオランダとイギリス、米国が支配する領土に対する攻撃の準備へと移った。日本政府内部での議論と並行して、マラヤとオランダ領東インド、フィリピン、太平洋のその他の米領諸島に対する攻撃の周到な準備が続いた。東南アジアの油田と錫鉱山、ゴム農園を手に入れても、これらの油田や鉱山、農園が日本列島に近くなるわけではないということに日本政府の指導者たちは気づいていなかった。それはただこれらの場所が日本の支配下にあるということを意味するにすぎず、他国傭船の支援を受けることなく、日本の船で産出物を日本列島まで運ぶ必要があった。したがって、日本が開始しようとする戦いにとってきわめて重要だったのは、限られた自国海運の有効活用や、その海運を潜水艦攻撃から守るための真剣な準備が一切なされなかったことであった。

日本が軍事行動の準備を行い、また征服する島々向けの占領通貨［軍票］を印刷する一方で、米英政府は、日本に米英の領土への攻撃を思いとどまらせようと試みていた。攻撃される直前までドイツに補給物資を送っていたソ連とは異なり、米国政府は日本との一部の交易をすでに減少させており、インドシナ南部が占領された時に石油の輸出を禁止した。日本の相手になる中国海軍は存在しないことから、石油は日本がイギリス、オランダ、米国と戦うために必要とする製品であった。イギリスとオランダも同様に日本への石油輸出を停止した。米国の指導者たち、とくにローズヴェルト大統領自身とコーデル・ハル国務長官は、ワシントンの日本人外交官との交渉に膨大な時間を費やした。日本の外交官は平和を望んでいたが、日本政府はそれとは反対の方向に進んでいた。日本がすでに関わっていた戦争を拡大しないよう日本を抑止するという米英の試みは、日本に影響を及ぼさなかった。日本の抑止に努めるなか、米国は艦隊の大部分をハワイに移動させ、初めて実戦配備されたB—17フライング・フォートレスがフィリピンに送られた。一方イギリスは、主力艦二隻、すなわち戦艦・巡洋戦艦各一隻をシンガポールに移動する命令を出した。交渉の最後の数週間に、日本がインドシナ南部から撤退するなら米国は日本が必要とする石油を販売するという提案が話題に上った。ワシントンの日本人外交官は、いかなる事情があろうともこの可能性——対中戦争の拡大の放棄を暗に意味する——を議論しないよう直ちに指示を受けた。米国は日本の外交通信を解読できたため、この日本政府の指示の直後、ワシントンから［各地の軍司令官に］戦争が迫っている旨の警告が出された。

独伊政府は、条約という形であれ何であれ、約束の履行に関して評判が芳しくなかったため、日本政府は開戦の数日前、独伊政府に対し対米戦に参戦するという約束がまだ有効であるかを確認した。これに対して速やかに肯定的な返答が届いた。実はヒトラーは、東部戦線におけるドイツ軍の戦況悪化が日本の対米攻撃を思いとどまらせるのではないかと真剣に懸念しており、東部戦線の状況について実際よりもずっと楽観的な発表をくり返したし、そうした発表を許可していた。ローズヴェルトは、ドイツの勝利は日本が信じるほどに確実ではないと日本が見抜くまで、日本の行動を遅延させることを望んでいた。一方ヒトラーは、日本がまさにそうした認識をもって米国への攻撃を思いとどまるのではないかと懸念していた。結果、二週間の差でヒトラーの願いがまさった——日本は、モスクワ郊外でのドイツ軍の敗北が明らかにならないうちに、米国に攻撃を仕掛けたのである。

2　日本の進撃

日本の戦争計画では、立て続けに迅速な展開をすることが求められていた。タイ占領ののちはマラヤに侵攻、続いてフィリピンを侵略し、米領グアム島およびウェーク島を奪取したのち、オランダ領東インドとビルマ［現在のミャンマー］、さらに南太平洋上の英米仏が支配する島々を征服するためである。こうした行動は米英海軍の妨害から守られねばならなかった。日本の以前の計画では、フィリピンの防衛または救援、あるいはその両方のためにやって来る米国艦隊を西太平洋の大規模な海戦で迎え撃つことになっていたが、この計画は一九四一年一〇月半ばに放棄され、代わりに山本五十六海軍大将が発案した、真珠湾に停泊する米軍艦に対して平時の艦載機攻撃を仕掛けるという計画が採用された。これは山本が自分の計画が採用されなければ連合艦隊司令長官を辞任すると脅したためである。一九四一年一二月七日［日本時間では八日］の攻撃は米海軍に壊滅的な損害をもたらし、結果、米国が日本の南進を側面から脅かすことはなくなった。しかしこのことは、戦争全般における日本の展望に対し、はるかに広範な負の影響も及ぼした。この影響は容易に予見できるものであった。

平時［米国にとっては宣戦布告前］の日曜日の一方的な攻撃は、同年四月にユーゴスラヴィアを同様に奇襲したヒトラーを熱狂させたが、米国の大衆の過激な反応を引き起こし、やがて交渉によって和平を結ぶという日本の期待はすべて無となった。日本は、米国が血と金を費やしてまで、米国人が聞いたこともないような島々を再征服し、米国人が承認しない植民地宗主国にこうした島々を返還することを選ぶはずがないと考えていた。しかし、現実は真逆であった。米国人は今や日本が壊滅するまで戦う用意ができたのである。この戦いにおいて、米国は真珠湾攻撃のその他二つの特徴に助けられたが、それは予測可能なものであった。ひとつは真珠湾が浅水域であるということである。日本はこのことを知っていたので、特別な浅海面魚雷を利用した。この浅海性のため、日本が撃沈したと推測した米戦艦八隻のうち二隻以外は、実は泥に沈んだだけで、引き揚げて修復し、その後に戦線復帰することができた。もうひとつは乗組員に関することである。戦艦「アリゾナ」の人命の損失は大きく、攻撃を受けた他の艦でも多数の死傷者が出たが、日曜日に安閑と港内にとどまっていた艦艇に所属する、熟練した経験豊富な乗組員の圧倒的多数はこの攻撃を生き延びた。米海軍がきわめて迅速に復活できたのは、米国の工廠で建造された新造艦が配備されたこともあるが、攻撃を受けた艦に搭乗していた何千人もの水夫が利用できたからでもある。

日本を抑止するべくシンガポールに派遣された二隻のイギリス軍艦［戦艦「プリンス・オブ・ウェールズ」、巡洋戦艦「レパルス」］は一二月初めに到着し、マラヤ北部への日本軍上陸の報を受けて出港した。これらの軍艦は日本の潜水艦によって捕捉され、日本の航空機による魚雷攻撃と爆撃を受けた。イギリス空軍による航空掩護も有効な対空兵装もなく、両艦は一二月一〇日に撃沈された。イギリス本国と地中海での航空掩護が急務であったために、イギリス空軍戦力はごくわずかしか利用できなかったのである。海岸に上陸した日本軍は比較的迅速に内陸部に進むことができた。防衛するイギリス側地上軍はインド師団二個とオーストラリア師団一個に加えて、最小限のイギリス本国部隊で構成されていた。山下奉文陸軍中将が率いる日本軍三個師団は一二月八日に上陸を開始し、浮き足だった抵抗を蹴散らして南進した。イギリスは防御を固めるために兵士を増派したが、いくつかの場所で激しい戦闘があったものの、日本軍は二月初めまでにマラヤ南端までの約四八〇キロを突進した。日本軍のシンガポール島への上陸は二月八〜九日夜に開始され、多少の戦闘を経て、イギリス軍は二月一五日に降伏することとなった。この結果、攻撃を仕掛けた日本軍をはるかに上回る軍人多数が捕虜となった。シンガポールだけでも、日本軍兵士によって、何千もの民間人が殺害、レイプされた。日本陸軍が活動する場所ではどこでも悲惨な事件があったが、［第二次世界大戦中に］シンガポールと同様の大規模な暴行事件が起きたのはもう一度だけであった――それは一九四五年三月のマニラで起き、やはり山下が司令官であった。

シンガポールのイギリス軍が降伏した時、日本は米領グアム島だけでなくイギリス植民地の香港を奪取しており、初めこそ失敗したが、ウェーク島も攻略した。しかし、日本軍はまだフィリピンのルソン島で激しい戦闘の渦中にあった。ローズヴェルト大統領は、一九四四年に予定されていたフィリピン独立に際して、フィリピン軍の自衛能力の増強を支援するため、フィリピンにダグラス・マッカーサー陸軍中将［真珠湾攻撃直後に陸軍大将に昇進］を派遣していた。従来の防衛計画では、日本軍にマニラ港を使わせないためにバターン半島の固守に集中することになっていたが、マッカーサーはこれを覆し、ルソン島全体を防衛するという非現実的な計画を採用した。日本の計画は、一二月八日の米空軍に対する攻撃、また一二月一〇日のルソン島の北とマニラの南での上陸を準備していた。この航空攻撃は真珠湾攻撃の約一〇時間後に行われたが、マッカーサー麾下の航空機の大半が地上にあるところを捕捉し、両地点での上陸は成功した。新しい防衛計画が機能していないことが即座に明らかになり、残る米軍部隊とフィリピン軍部隊はバターンへ移動した。計画変更のせいで必要な食糧およびその他の物資はバターンに蓄積されておらず、米軍とフィリピン軍の兵士は飢えと病気でひどく衰弱することとなった。それにもかかわらず、彼らは日本軍が予想していたよりもずっと激しく抵抗した。日本軍司令官の本間雅晴陸軍中将は増援を得なければならなかった。疲弊したバターン防衛部隊は押し戻されて四月八日に降伏せざるを得ず、五月六日には要塞島コレヒドールが、六月九日にはその他のフィリピン防衛部隊も降伏した。バターンで降伏した兵士のうち、数千人が収容所に連行される際に日本軍によって殺害された。生存者は徹底的に搾取され、しばしば戦争捕虜収容所や鉱山で殺された。ローズヴェルトは事前にマッカーサーに対し、バターンを脱出してオーストラリアに逃れ、オーストラリアに派遣される米軍を指揮するよう命令していた。フィリピンでは、日本軍に対する現地住民の大規模な協力が盛んになる一方、小規模ながら拡大するゲリラ抵抗運動も発展した。抵抗運動は日本軍をそれなりに煩わせ、米軍に諜報をもたらした。

日本軍によるマラヤとフィリピンの征服は、日本が予定していたオランダ領東インド征服の前段であった。日本軍はすでに一二月一五日、ボルネオ島（当時一部が英領、一部がオランダ領）に上陸していた。その後の数週間に、日本軍はこの地域の島々に相次いで上陸した。日本軍は二月末のスラバヤ沖海戦でオランダ・米国・イギリスの連合艦隊を破り、ジャワ島ではこの地域で最大の連合国軍部隊を三月八日に降伏させた。これより前には、巨大なニューギニア島西部のオランダ支配地域に上陸し、また同島の北東海岸にも上陸して、ラエとサラマウアの町を奪取している。第一次世界大戦後に日本の委任統治領となったマリアナ諸島とカロリン諸島を出発した日本の遠征軍は、南の諸島に向かい、ソロモン諸島の大半の島々ばかりか、アドミラルティ諸島、ギルバート諸島、ビスマルク諸島をきわめて迅速に征服した（地図7、8参照）。なかでもとくに重要なのは、ビスマルク諸島の掌握である。同諸島のニューブリテン島の北端には大型港ラバウルがあった。ラバウルは日本軍の作戦行動の本拠地となり、オーストラリアとニュージーランドを脅かすようになった。

日本軍は、オランダ領東インドと南太平洋にあるイギリスの多数の領土および諸島を征服すると同時に、ビルマにも進撃した。ジャワ島が降伏した日には、ラングーン［現在のヤンゴン］に侵入。数週間で、イギリス軍と中国軍、米軍の小部隊をビルマの残りの地域から追い出し、4月末までにビルマを事実上完全に支配下に置いた。この一連の征服とインド洋の諸島の占領は、日本によるマダガスカル島占領の可能性を高め——ヴィシー政権はこれを歓迎していた——、またこれによって、海路による連合国補給ルート——インドおよび中東へのルートと、イランを経由するソ連へのルート——が遮断される可能性が高まった。この危険性を考慮して、イギリス軍は米国の間接的な支援を受けて一九四二年五月四日にマダガスカル北端に上陸し、数ヵ月後に島全体を征服した。日本軍はここで好機を逃したばかりか、陸海軍間の意見の相違のため、当面の間、インド侵攻やセイロン（スリランカ）上陸を見送ることになった。しかし、日本はドイツとのアジア分割を案出していた。

一九四一年一二月、日本政府はドイツ政府に対して、経度七〇度でのアジア分割を正式に提案した。これはシベリアの大半と中国全土、インドの大半、また東南アジア全体を日本の支配下に置くものであった。国防軍最高司令部にはより大きなシベリア工業地帯を望む者もいたが、ヒトラーはこの提案を受け入れ、翌年一月に協定が調印された。同月には、一九四一年一〇月から陸軍大臣と首相を兼務する東條英機の執務室で、南太平洋と西半球を分割する計画が立てられた。この計画では、日本が太平洋の諸島すべてと、オーストラリアおよびニュージーランド、アラスカ、カナダ西部、ワシントン州、中央アメリカ、カリブ海の諸島、エクアドル、コロンビア、ベネズエラ西部、ペルー、チリを獲得することが規定されていた。この分割計画はドイツ側に提案されなかったが、西半球の大半をドイツに委ねる案であったため、アジアの大半を日本のものとすることに同意して

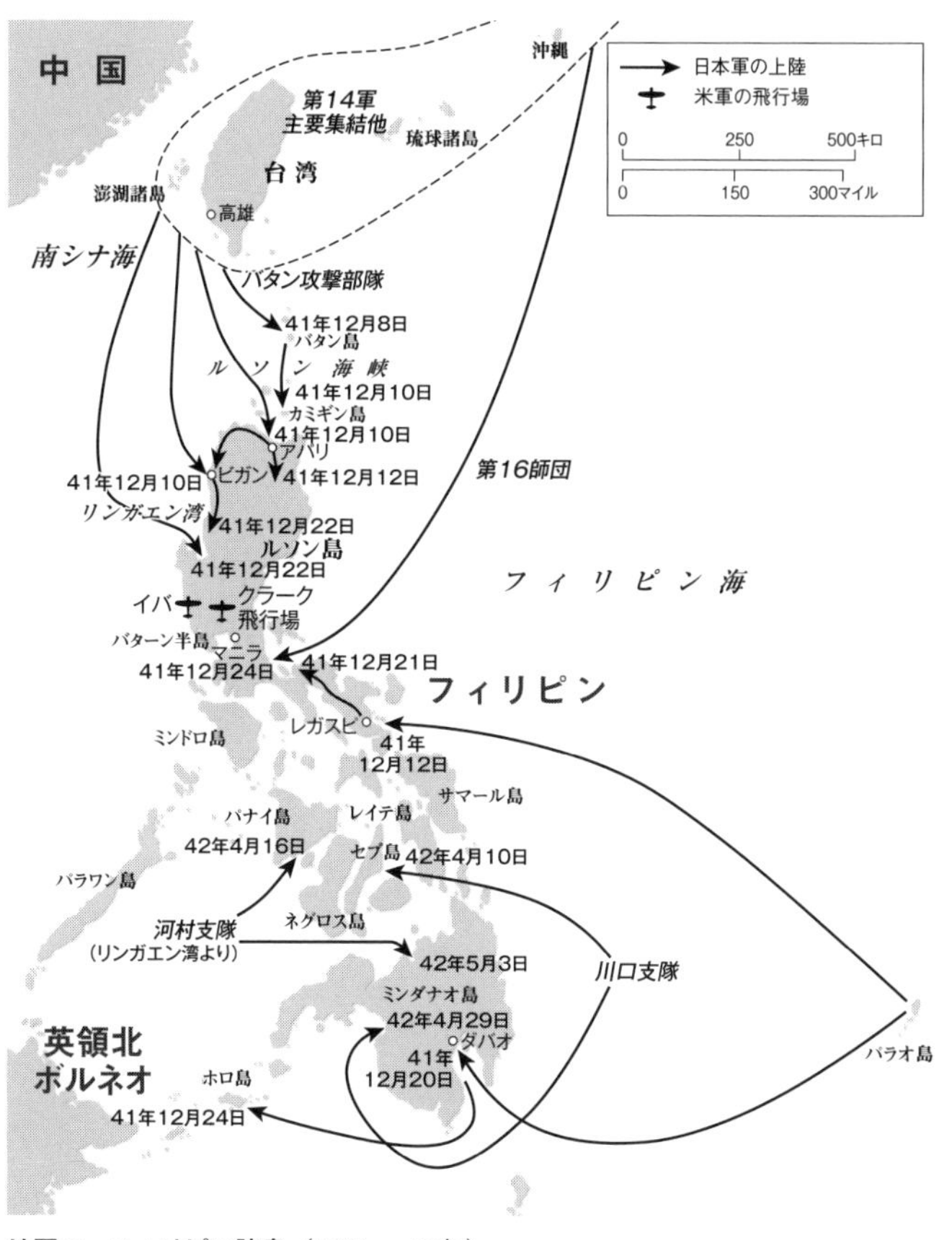

地図7　フィリピン諸島（1941～42年）

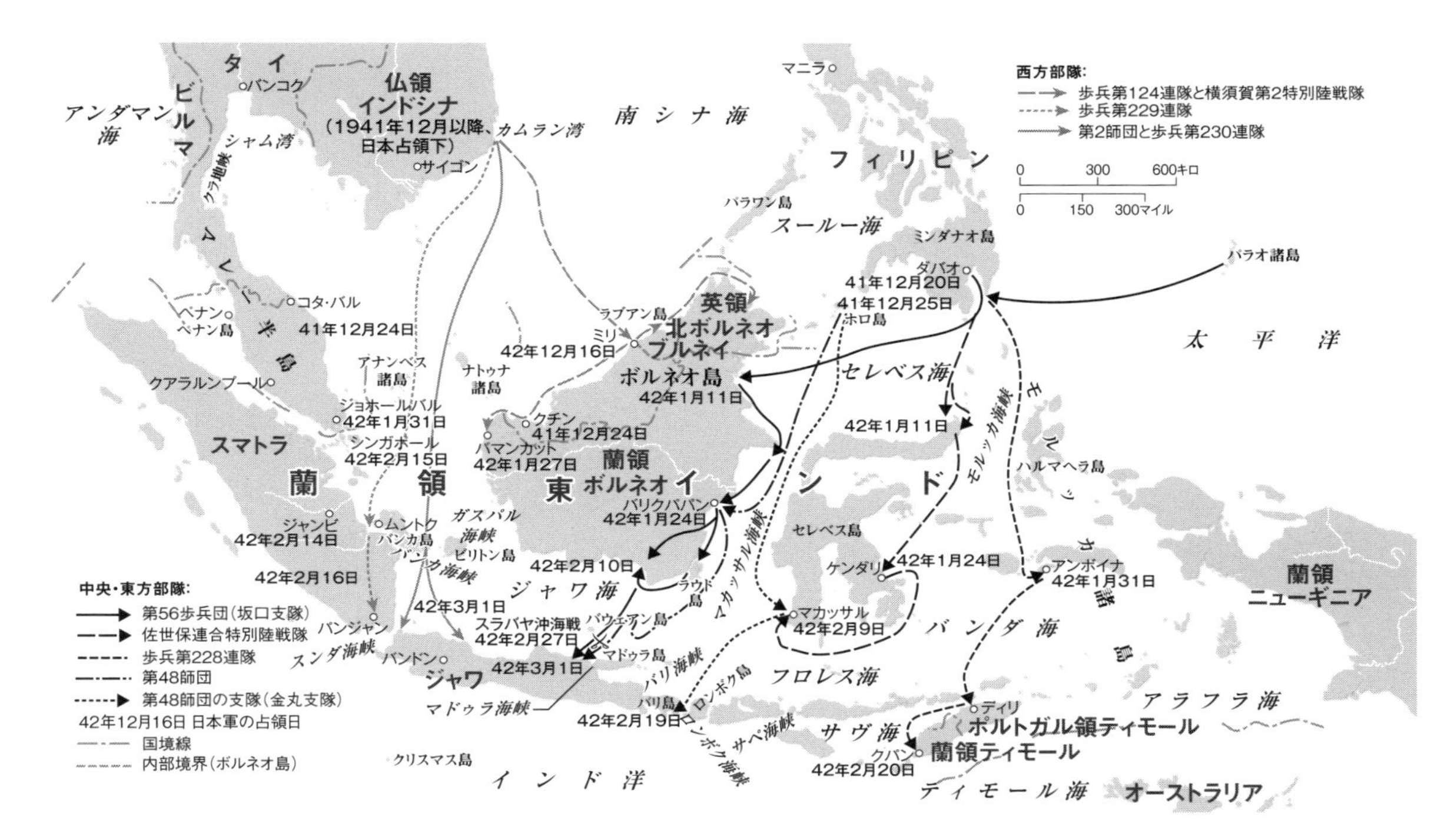

地図8 東インド(1941～42年)

いたヒトラーが異論を唱える可能性は低かった。

3　日本の攻勢の停止

こうした日本の野心的な計画を実現するには、緒戦の勝利に加えてさらに勝利を重ねなければならなかった。日本軍の指揮系統のなかでは、次の攻略先をめぐって意見が分かれていた。こうした意見の不一致により、すでにインドおよびインド洋へのさらなる進撃が中止されていた。さらに大々的に南進するためには、ニューギニア南岸のポート・モレスビーを奪取してオーストラリアを脅(おびや)かす必要があった。ポート・モレスビー攻略は、日本海軍の掩護を受ける、海からの上陸計画によって試みられた。この攻撃が一九四二年五月三〜八日の珊瑚海海戦を生起させた。これは主として空母同士の戦いで、日本軍は小型空母「祥鳳(しょうほう)」を損失、米軍は艦隊空母「レキシントン」を失うとともに、双方の艦隊空母一隻ずつが損害を受けた。相対的な損失がどうであれ、戦略的勝利を挙げたのは米軍である。というのも、日本軍はポート・モレスビーへの強襲上陸を断念したからである。その代わりに、日本はニューギニアからココダ道を経る陸路進軍によってポート・モレスビーを攻略しようとした。しかし一九四二年九月一七日、米陸軍航空軍の支援を受けたオーストラリア軍により、ポート・モレスビーに至る前に進軍を停止させられた。この日までに、ニューギニア南東端のミルン湾にある米豪連合軍の基地を奪取するという日本の試みも失敗している。

珊瑚海での挫折の直後、日本はさらに二つの作戦を決定した。アラスカ海岸沖のアリューシャン列島にあるダッチ・ハーバーの米海軍・航空基地を爆撃し、その西方にあるキスカ島とアッツ島の二島を奪取するつもりであった。空母二隻から艦載機が発進、ダッチ・ハーバーを爆撃し、その後は上陸部隊を護衛した。こうして一九四二年六月初め、二島を占領した。この作戦は、米国がアリューシャン方面から日本を攻撃するのを防ぎ、同地域の征服をさらに進めるうえでの拠点をもたらしたかもしれないが、この作戦に従事した空母は、同時期にはるか南方で行われていた大規模な海戦には参加できなかった。ミッドウェイ島の奪取を目的とする作戦である。この作戦も、やはり山本が連合艦隊司令長官を辞任すると脅して無理に通したものであった。もっとも、一九四二年四月一八日のジェイムズ・ドゥーリトル陸軍航空隊中佐が率いる米国機による東京空襲のせいで、日本軍の指揮系統がこの作戦を許可するのにいっそう前向きだった可能性はある。

　ミッドウェイ海戦に際して、米艦隊には、珊瑚海海戦で損傷し、真珠湾で応急処置を受けた空母「ヨークタウン」が含まれていた。これに対し日本側は、同じく珊瑚海海戦で損傷した艦隊空母「翔鶴」、航空機の大半を失った艦隊空母「瑞鶴」は、いずれもハワイ海域に残存する米海軍の破壊およびミッドウェイ島の奪取を目的とする機動部隊には含まれなかった。ミッドウェイに向かった日本艦隊の六隻の空母のうち、さらに二隻「鳳翔」と「瑞鳳」は、米艦隊がミッドウェイ防衛のために出撃した場合、これを壊滅させることを期待された戦艦および巡洋艦からなる艦隊を護衛するために留め置かれていた。しかし、ハワイの米国諜報将校たちは日本の計画を解き明かしており、米海軍の空母三隻は六月四日にミッドウェイ南東で日本の空母四隻に対して奇襲を仕掛ける用意ができていた。日本が低空飛行する米国の雷撃機を撃墜するのとほぼ同時に、「上空から侵入する」米国の急降下爆撃機は日本の空母三隻を撃沈し、そのすぐあとで四隻目も沈没した。「ヨークタウン」は重大な損害を受け、その後日本の潜水艦に撃沈されたが、この戦いは明らかに米国に有利であった。日本の戦闘艦隊は巡洋艦一隻とその他の軍艦数隻を失って引き返した。しかし、より重要なことは、日本は空母を補充することができなかった一方で、米国は失った空母と航空機乗組員を補充することができたし、また実際に補充したという点である。そのうえ、日本は航空機乗組員の補充員を訓練する本格的な計画を立てなかった。このため、珊瑚海とミッドウェイにおける熟練パイロットの損失により、以降の日本は十分に訓練を受けたパイロットの不足に常に悩まされることになるのである。

ミッドウェイ海戦は太平洋における日本の進撃を停止させ、米国の反攻への道を開いた。反攻の機会は一九四二年八月にガダルカナルで訪れるが、これは第6章で扱うことになる。戦争全体の理解に欠かせないのは、日本は進撃を停止したとはいえ、米国が一時的に「ヨーロッパ第一(ファースト)」戦略から離れて、その代わりに新たに動員した利用可能な戦力の大半を一九四二年から一九四三年前半にかけて太平洋の戦域に送ることを余儀なくさせたということである。この措置は地中海とヨーロッパの戦域での米国の作戦行動を遅らせた。しかし、枢軸国側も作戦行動の調整に失敗したため、この遅れを活かすことができなかった。枢軸国の失敗は、次の事実によって簡潔に示される。すなわち、日本が未完成のドイツ空母「グラーフ・ツェッペリン」を購入し、太平洋に回航したいと申し出るまで、ドイツは珊瑚海海戦およびミッドウェイ海戦で日本が勝っておらず、負けたことを知らなかったのである。おそらく、この件に関連する通信を解読していた米国は、ドイツがこの要請を拒絶したことを残念がったことであろう。

4　より広域の戦争

日本の真珠湾攻撃の報に接したヒトラーは、すぐさまドイツ海軍に米国および西半球のその他八ヵ国との交戦を命じた。ドイツ国会を招集し、対米戦争に関する朗報を伝え、さらに外交手続きを経るには三〜四日かかるが、ヒトラーは時間をかけたくなかったのである。イタリアも直ちに米国に宣戦布告した。同じくドイツの同盟国であるハンガリー、ルーマニア、ブルガリアも同様に宣戦を布告した。ローズヴェルト大統領は日本とドイツ、イタリアに対する宣戦布告を議会に求め、議会はこれを速やかに承認した。ただしローズヴェルトは、ハンガリー、ルーマニア、ブルガリアの三ヵ国に宣戦布告を撤回させるべく、国務省に半年間交渉させた。三ヵ国が撤回を断固拒否したため、ローズヴェルトは一九四二年六月に交渉を諦め、議会は三ヵ国に対する宣戦布告を発した。ドイツと同盟関係にあるハンガリー、ルーマニア、ブルガリアの指導者たちの米国に関する意図がどのようなものであれ、ドイツとイタリアからの差し迫った脅威については疑念の余地はなかった。大西洋とカリブ海における潜水艦の脅威である。

ドイツ潜水艦隊司令長官カール・デーニッツ海軍中将は米国との戦争を見越して、多数の潜水艦を米国東岸に派遣していた。これらの潜水艦は、一九四二年前半の六ヵ月で多数の連合国商船を撃沈した。この頃はまだ護送船団体制が実施されておらず、沿岸の灯火管制も行われていなかったのである。ドイツの潜水艦は夜間に浮上し、ホテルやモーテル、家の灯りを遮る船のシルエットに魚雷を発射した。海軍暗号システムの変更も、ドイツの軍事行動の助けとなった。暗号の変更により、連合国は一九四二年のほとんどの期間、ドイツ海軍の無線通信を解読できなかったのである。米海軍にとって、これぐらいの挫折では足らぬとばかりに、米国の潜水艦には災難と言わざるを得ない欠陥もあった。米国の潜水艦に供給された魚雷には絶望的な欠陥があることが判明したのである。開戦当時にドイツ海軍も似たような問題に直面したが、米国の問題よりはるかに速やかに是正された。米国の潜水艦の指揮官と乗組員が、日本船に向けて発射した魚雷が想定どおりの深度を航走し、命中時に爆発すると信用できるようになったのは、一九四三年に入ってかなり経ってからのことだった。このため、石油やその他資源の拒絶に対する日本海軍および産業界の極度の脆弱性も、開戦からかなり経つまで活かせなかったのである。

　第二次世界大戦は今やすべての大国を巻き込み、連合国は一九四二年一月にワシントンで開催された会談において、自らを国際連合と呼んだ。この名称のもとで連合国はともに戦い、のちに新しい国際組織を作ることになった。枢軸国側には同様の国際組織は作られなかった。

第6章　形勢逆転——一九四二年秋〜四四年春

1　東部戦線におけるドイツの一九四二年の攻勢と惨事

一九四二年四〜五月に東部戦線を事実上固定化させたのち、ドイツはその年の攻勢である「ブラウ作戦」を開始した。前年に被った損失のために、前線全体で攻勢を繰り返すことは不可能であった。カフカス地方の油田を奪取するため、前線南部の一ヵ所に限定した攻勢を仕掛けることになった。この攻勢によってソ連の重要な資源である石油を奪うとともに、枢軸国の戦争努力を強化するのである。この攻勢が成功した場合、進撃の側面(フランク)が伸びるため、一九四一〜四二年冬にドイツは同盟国のルーマニアとイタリア、ハンガリーに対して東部戦線に展開する部隊を増強するよう促し、各国はこれを受け入れた。しかし、ドイツは必要な対戦車砲やその他の最新兵器を同盟国に提供しなかった。そして一九四二〜四三年冬、ソ連赤軍の攻勢が同盟国部隊の守る前線を切り裂くように進むと、ドイツ軍は不意を打たれることになる。

前線南部では、ソ連が冬の攻勢で多少なりとも重要な前進に成功していたが、六月二八日のブラウ作戦の開始に先立つドイツの作戦行動によってほとんど帳消しになった。ドイツの攻勢はモスクワを目標としているという誤った予想により、赤軍予備部隊の多くはモスクワ前方に留め置かれた。このため、ドイツ軍は当初かなり深くまで進撃することができた。この戦闘の展開には二つの出来事が影響を及ぼした。スターリンは前線の指揮官が相当の撤退を準備することを初めて許可し、その結果ドイツの包囲攻撃は、一九四一年の攻勢に特徴的だった、膨大な数の捕虜を得られなかった。第二に、ドイツは再奪取したロストフ＝ナ＝ドヌー経由でカフカス地方に軍集団を派遣し、さらに予想された征服地の北方側面を防衛するため、別の軍集団にヴォルガ川沿いのスターリングラードに向かって攻撃させた。いずれの攻勢も初めはかなり深くまで進撃したが、やがて進軍は遅滞し、停止した。ドイツは前年の人的損失と物的損失を完全に補充できていなかったが、他方の赤軍部隊は激しく、ますます巧みに戦った。ドイツは南部における進撃でマイコープ油田を占領したが、八月の終わりには黒海沿岸のノヴォロシスクとカフカス地方のグロズヌイを前にして進軍を停止させられた。同じ頃、スターリングラードに向かったドイツ軍部隊はヴォルガ川に到達したが、市内および市周辺で足止めされた（地図9参照）。

ドイツ軍はスターリングラードを激しく爆撃し、市街に進撃した。一方ソ連赤軍は各街区の支配を争い、とくに市内前線の北部で反攻を繰り返した。ソ連軍がヴォルガ川を渡って市内に増援を送る一方、ドイツ軍部隊が次々に市街戦に投入された。二つのドイツ軍集団は約三二〇キロ離れていたため、双方が前進する際に、互いに支援することができなかった。赤軍はモスクワ前方の前線において、最初は小規模な、その後に大規模な攻勢を開始したが、前年の冬にドイツ軍が掌握した陣地からドイツ軍を追い払うことができなかった。しかし、スターリングラードの状況は異なった。

ドイツ軍のスターリングラード進撃の側面は、主としてドイツ軍部隊の支援を受けたルーマニア軍が防衛していた。赤軍総司令部（スタフカ）はスターリングラードに増援を小刻みに送りながら、同市内で戦うドイツ軍の北と南の側面に対する大規模な攻勢を準備していた。西側連合国が北西アフリカに上陸し、それによってドイツ軍が西部戦線に足止めされるのを待って（この問題はあとで検討する）、赤軍は一一月一九日に「ウラヌス作戦」を開始した。北でも南でも大規模な装甲部隊と歩兵部隊がルーマニアおよびドイツの防衛部隊を突破し、数日後に合流した。ヒトラーは、赤軍が正式に合流する前から、展開されつつある包囲網を突破する新たな軍集団を編成するとともに、フリードリヒ・パウルス陸軍大将（この後すぐに元帥に昇進）に市内の徹底抗戦を命じた。ドイツ空軍は孤立した第六軍とその付属部隊に補給し、新しい軍集団が包囲を突破することになっていた。この攻勢は一二月一二日に始まったが、失敗した。その後、赤軍は包囲下のドイツ軍を叩き潰し、スターリングラード北西の前線の一部を守っていたイタリア軍を壊滅させた。市内の廃墟にとどまっていたドイツ軍の最後の生存者たちは、一九四三年一月末に降伏した。決定的に重要だったのは、スターリングラードでの戦闘とドイツの敗北は何ヵ月にもわたって世界の新聞の大見出しを埋め尽くし、連合国と枢軸国双方の多くの人々にとって第二次世界大戦の大きな転換点のように見えたことである。実際の問題として、スターリングラードでの敗北により、ドイツ軍は、カフカス地方に進撃した軍集

地図9 独ソ戦（1942〜43年）

団の孤立を避けるため、同軍集団も撤退させざるを得なくなった。この部隊は以前に征服した領土の一部であるクバン橋頭堡を死守し、ヒトラーはここから一九四三年中に再びカフカス地方を攻撃することを望んでいた。しかし、この計画は今や弱体化したドイツ軍にとっては不可能であることは明らかであり、ドイツ軍は一九四三年一〇月初めにこの地域から撤退した。

ドイツ軍の前線南部の崩壊により、ソ連は状況が許すよりも急速に反攻を行う誘惑に駆られた。一九四三年二月末、ドイツ軍は進撃する赤軍部隊を攻撃し、ハリコフ［現在のハルキウ］を再奪取した。ソ連指導部は、スターリングラードで勝利したとはいえ、これから先にはるかに困難な戦闘が待ち構えていることを理解した。この時の経験があったからこそ、スターリンは軍司令官たちの助言――ひとまず防勢をとり、一九四三年夏のドイツ軍の攻勢を待って大規模な攻勢に転じる――を受け入れたのかもしれない。双方にとって、次の大規模な交戦の場はクルスク市周辺の突出部であることは明らかであった。ソ連はこの地域をかつてないほど強固に要塞化し、ドイツは南北両面からの急襲を準備した（地図10参照）。ドイツの攻勢は、自軍への補給のため、とくに新型の重戦車、V号戦車パンターとVI号戦車ティーガーの配備のために、何度も延期された。両戦車は、一九四一年に赤軍がドイツ軍戦車よりも大型で強力な戦車を保有していることが判明してから発注、設計されたものである。

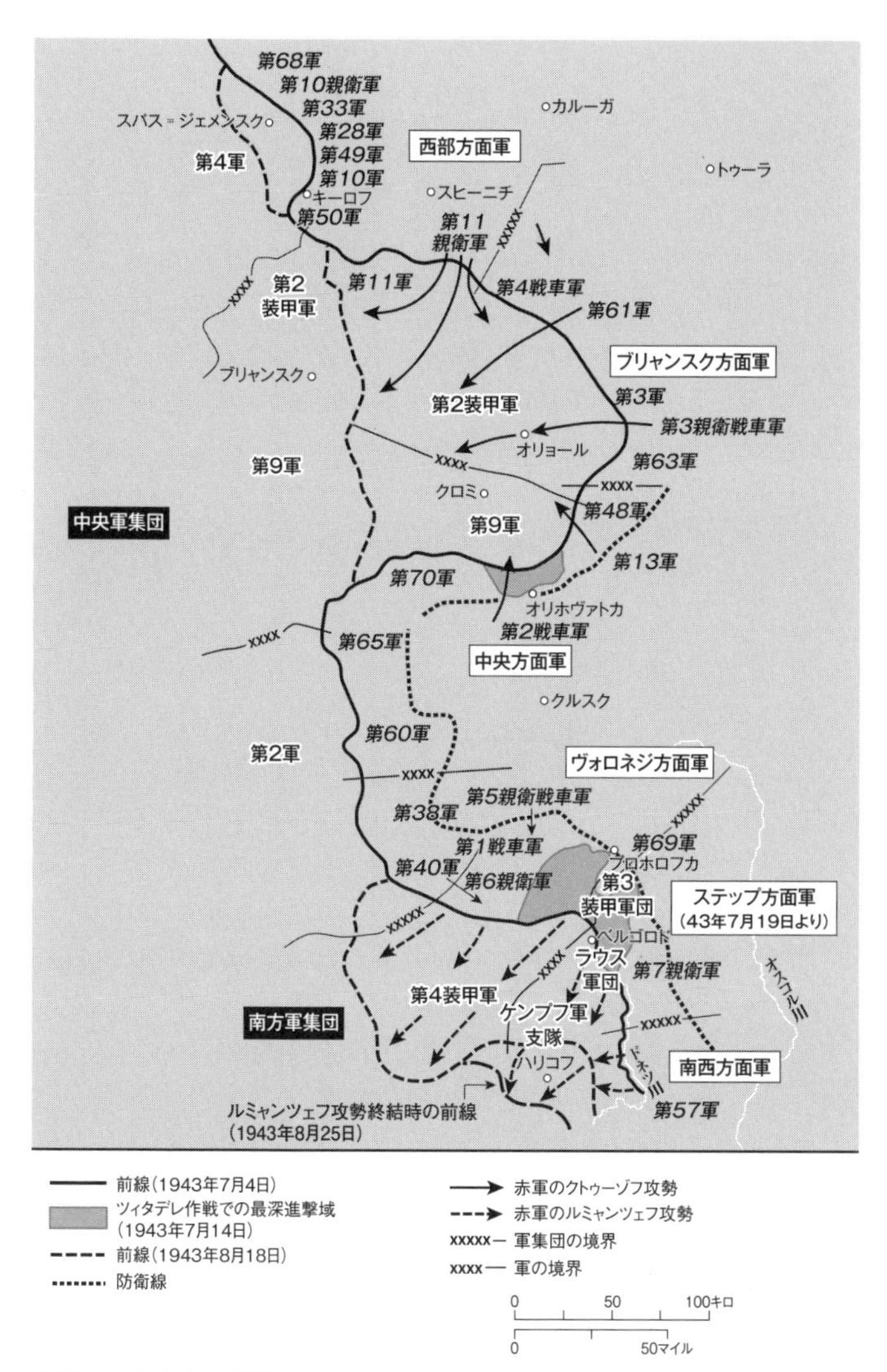

地図 10　クルスクの戦い

2 一九四三年東部戦線における主導権と地中海での変化

一九四三年七月五日、ドイツはクルスク周辺の突出部のソ連軍を壊滅させ、東部戦線での主導権を取り戻すべく「ツィタデレ作戦」を開始した。前線の両端での数日間にわたる激しい戦闘ののち、ドイツ軍は敵を叩きながら前進してソ連赤軍に非常に重大な損失を与えたが、それでも前線を突破することはできなかった。統計上ではこの損失はドイツに有利であったが、ドイツには損失を吸収する余裕がなかったというのが現実であって、ドイツ軍が突破を大々的に実現できなかったということは大失敗を暗示していた。この攻勢の終結は、ソ連のオリョール地域（クルスク周辺の突出部に対して北方から攻撃を仕掛けるドイツ軍の後背地にあたる）への攻勢、さらに西側連合国のシチリア上陸の知らせによって早まった。これ以降、主導権は赤軍に移った。赤軍は、ソ連空軍がドイツ空軍の戦力が手薄になった——地中海と本国からの要求に直面して——戦場上空の制空を掌握した時に、主導権を発揮した。

ソ連による一連の大規模な攻勢は、前線中央部のドイツ軍を後退させ、その後ウクライナまで追い込み、同年末にはレニングラードの包囲を破った。これらの攻勢で、赤軍側は自国士官が多くの教訓を得たことを示した一方、ドイツ軍は明らかに弱体化しつつあった。［ドイツ軍の新型戦車の配備により］ソ連戦車の性能優位が多少減じたとしても、赤軍にははるかに多くの戦車——その大半は自国の工場で生産され、一部は米国から武器貸与法に基づいて提供された——があったので、ドイツにはソ連の断固たる攻勢を防ぐ方法がなかった。赤軍のこうした攻勢は常に途方もない数の大砲運用によって支援されており、戦争後半には二つの大きな利点を享受していた。ひとつは、パルチザン運動が命令にしたがって、ここぞという時および場所においてドイツの通信と輸送を妨害したことである。もうひとつは、東部戦線のドイツ軍諜報部（一九四二年初め以降はラインハルト・ゲーレン陸軍大佐［のちに陸軍少将］が長を務めた）が、ソ連の偽情報およびゲーレンの絶望的な無能さによってほとんど常に騙されたことである。一九四四年春には、ソ連は自国内に残るドイツ軍を壊滅させる最善の方法を決めることのできる立場にあり、攻撃のタイミングを同盟国と調整した。

ひとつの前線に集中できたソ連とは異なり、西側連合国は前線が複数ある戦争を戦っていた。一九四二年七月についにエジプトでの独伊連合の進撃を抑え込んだイギリスは、米国の支援を受けてエジプトでの攻勢を準備した。この攻勢は一〇月末に始まった。エル・アラメインでの過酷な戦闘で枢軸国軍を撃破し、その残党をエジプト、リビアの砂漠を経て徐々に押し戻し、仏領北西アフリカに上陸した英米連合軍と合流することになる。これらの上陸作戦は「トーチ作戦」と呼ばれ、一一月八日にモロッコとアルジェリアの大西洋岸と地中海岸での上陸に成功した。ヴィシー軍部隊は当初この上陸に抵抗したが、連合国軍最高司令官ドワイト・アイゼンハワーは、ヴィシー軍司令官フランソワ・ダルラン海軍元帥（息子の病気のためにアルジェリアを訪れていた）との間で協定を結んで戦闘を終わらせ、ダルラン麾下の一部のフランス軍部隊を連合国側に寝返らせた。ヴィシー政権に忠実なチュニジアの指揮官は、シチリアから地中海を渡って迅速に投入されたドイツ軍とイタリア軍に抵抗しなかったため、枢軸国はチュニジアの要所とチュニス、ビゼルトを保持し、連合国軍の進撃を食い止めることができた。こうした出来事は、戦争のより広範な文脈のなかに位置づけなければならない。ヒトラーは連合国を北西アフリカから追い出すことを望んでいたが、スターリングラードでのソ連の攻勢のために十分な戦力を投入することができなかった。一方でチュニジアに送られたドイツ軍は、スターリングラードの包囲網の突破に使えなかった。西側連合国にとっては、以下のきわめて重要な影響があった。すなわち、枢軸国軍（エル・アラメインから退却する部隊が合流した）からチュニジアを奪取する必要があったため、一九四三年の時点では、英仏海峡を渡る侵攻に向けてアフリカからイギリスに兵士を移動させる十分な時間がなかったのである。したがって、この侵攻は一九四四年まで延期しなければならなかった。

　チュニジアで戦闘が行われている間、米英の政治指導者と軍司令官たちは、今後の措置を計画するために一月にカサブランカで会談した。一九四三年にはフランス侵攻を実行できないことが明らかであり、同年中に枢軸国に対する戦いに実質的に貢献するため、チュニジアでの勝利後、できるだけ早くシチリアに侵攻し、場合によってはその後にイタリア本土に侵攻することが決定された。米空軍が日中に産業およびその他の重要な標的の破壊に専念する一方、イギリス空軍は夜間の都市爆撃に専念し続け、ドイツに対する航空攻勢がますます大きな規模で続行されることになった。連合国の造船能力を上回るペースで毎月絶えず船が撃沈されていたため、一九四三年にはドイツの潜水艦に対する戦いが最優先課題となった。ダルランとの取引がイギリスと米国で引き起こした混乱を静めるとともに［ごく最近まで枢軸国を支持していた人物との取引は大きな反発を呼び、連合国の大義と一貫性に影を投げかけた］、西部戦線における侵攻延期は西側連合国による戦争努力の弛緩（しかん）によるものではないことをソ連に保証するために、これは両国がずっと前に合意していた方針を公に発表する機会でもあった。すなわち、枢軸側の諸国は無条件降伏しなければならないというものである。なお、イタリアをこの方針から免除するという提案は、イギリスの内閣によって拒否された。ローズヴェルトとチャーチルは、無条件降伏を求める方針の発表をカサブランカからの広報メッセージのとくに重要な部分とするための方法を考案した。

カサブランカ会談の開始前にダルランが王党派のフランス人［一八四八年の二月革命で退位したオルレアン家の王位僭称者を推戴する「オルレアニスト」］によって暗殺されたため、英米両国の連合国指導者たちは、自由フランスの指導者ド・ゴールとドイツの捕虜収容所から脱走したフランスのアンリ・ジロー陸軍大将との調停を試みていた。ド・ゴールはすぐにジローを脇に追いやり、アルジェリアにフランス暫定政府を樹立した。北アフリカのフランス兵士のうち相当数はチュニジアで枢軸国部隊と戦っていた英米連合軍に加わり、枢軸国部隊は今やこの連合軍とリビアを通って進軍するイギリス軍によって狭撃されていた。チュニジア前線の南端近くのカセリーヌ峠では、ドイツ軍の攻撃が経験の乏しい米軍の一部を敗北させたが、ドイツ軍は停止させられた。その後の数ヵ月間にドイツ軍はチュニジアの北東の片隅へと追い詰められ、一九四三年五月初めに二七万人以上の枢軸国兵士が降伏した。スターリングラードで包囲されたドイツ軍への補給を試みたドイツ輸送機は、そのためにチュニジアの枢軸国部隊への補給ができなかったが、それと同じように、シチリアからチュニジアに向かった輸送機も、スターリングラードの孤立地帯への空路補給に貢献することができなかった。同様に、米国は日本の進撃によって太平洋に部隊を割かなければならず、ヨーロッパの枢軸国も複数の前線で同時に交戦することを余儀なくされていた。

3 海戦と空戦

チュニジアでの枢軸国軍の降伏、シチリアおよびイタリア本土への上陸に続く連合国の作戦行動は、連合国が海戦の形勢を逆転させることを前提としており、連合国はこれを一番に優先していた。一九四三年三〜四月には護送船団をめぐってドイツ潜水艦と困難な戦いを経験したが、連合国は五〜六月に大きな勝利を手にした。米英およびカナダ海軍は、より航続距離の長い航空機や護衛空母、艦載レーダーの運用、護衛艦の追加、ドイツ海軍の暗号を再度解読することによって多数のドイツ潜水艦を撃沈したため、デーニッツは北大西洋での戦闘継続を諦めた。デーニッツは二種類の新型潜水艦を開発するようヒトラーから後押しを受けた。ヒトラーはこれらの新しい潜水艦の試験と乗組員の訓練ができるように、東部戦線北部での戦略よりもバルト海を支配する必要性を重視した。しかし、一九四五年四月にこれらの新型潜水艦の用意ができた時には、戦争は終わりかけていた。その一方で、一九四三年秋に連合国の新規建艦が総損失を超過し、以後ますます増え続けるようになると、商船の損失による連合国の戦略的選択肢の束縛がなくなった。

一九四二年から一九四三年にかけて、英米両国はドイツ本国とヨーロッパのドイツ支配地域に対する航空攻撃を大幅に激化させた。イギリスが一九四三年七月にハンブルクに対して行った大規模な空襲は、初めて火災旋風——のちの空襲でも何度か再発した都市災害の一種——を誘発した。戦略的爆撃攻勢の有効性と標的都市での大量死に関して、当時および戦後にどのような議論があったにせよ、これらの作戦の諸側面には疑いの余地がなかった。ドイツ人は、ナチ政権が一九一九年の講和条約で課された制約を破ることに熱狂していたが、今や第一次世界大戦の勝者たちが防ごうと試みた都市爆撃を経験していたのである。一九四五年以後、いくつかのドイツ都市は、のちの世代に何が起こりうるかを伝えるために大きな廃墟——たいていは教会——をあえてそのまま残している。爆撃のもうひとつの大きな影響は、工業生産と輸送システム、きわめて重要な合成油業界にかなりの混乱が生じたことである。一九四三年にはドイツは前線の向こうよりも上空に向けてより多くの砲弾を発射しており、一九四四年にはドイツのより多くの砲が地上の標的ではなく空を向いていた。加えて、文字どおり何十万人もの兵士と捕虜、最終的には少年少女が対空システムの操作に動員された。ドイツは大戦中に潜水艦千隻を建造したが、その資源を用いれば東部戦線向けの戦車約三万両の生産が可能であったかもしれない。同様に、ドイツが連合国の爆撃作戦に対処するためにその資源を振り向けたことで、戦闘の大半を担っていたソ連軍を助けることになったのである。

ドイツの資源が爆撃に対する防衛に転用されたことで、一九四三年秋には空戦における西側連合国の優位が脅かされることとなった。多数のドイツ戦闘機と地上からの対空砲火の組み合わせは、攻撃側の爆撃機にますます大きな損失をもたらしたのである。損失率が非常に高くなったため、連合国は作戦を変更しなければならなかった。西ヨーロッパ上空の完全な制空は、ドイツにとってイギリス侵攻の必要条件であったように、連合軍の西ヨーロッパ侵攻にとっても必要条件であったからである。こうした文脈において、爆撃機が標的に到達するまでの空路を常に戦闘機が護衛する必要があったのであるが、その護衛任務でP―51ムスタング戦闘機が本領を発揮し、一九四四年二〜三月の大規模な空戦へとつながったのである。これ以降のヨーロッパにおける戦争の展開には、二つの要素が大きく影響した。ひとつはドイツが一九四三年六月の「護送船団をめぐる」海戦の敗北を挽回できなかったこと、もうひとつは連合国の空軍が同年秋に直面した問題への対処に成功したことである。

4 シチリアおよびイタリアにおける戦役

チュニジア戦役の直後、一九四三年七月一〇日には「ハスキー作戦」による米英軍のシチリア上陸が実施された。海からの上陸に先立って、ドイツに上陸地点を誤認させる欺瞞(ぎまん)作戦と、連合国側にも大きな混乱をもたらしたが、わずかながら上陸の助けとなった空挺襲撃が行われた。イタリア軍部隊は比較的早くに崩壊したが、ドイツ軍部隊は激しく戦い、一時はジェーラでの米軍上陸の壊滅を脅かすほどであった。イギリス第八軍がシチリア南東部で抵抗に遭うと、その司令官バーナード・モントゴメリー陸軍大将は、作戦計画立案者がもとは米国第七軍に割り当てていた主要侵攻ルートの一つを自軍に占有させた。その結果、ジョージ・パットン陸軍中将は米国第七軍を代わりに北西部のパレルモに向かわせた。この進撃はうまくいったが、連合国はさらにドイツ軍をシチリア島の北東部から追い出さねばならなかった。結局、ドイツ軍をシチリア島から追い出すことには成功したが、ドイツ軍の大半がメッシーナ海峡を渡って脱出することになった(地図11参照)。

連合国のシチリア征服は、第二次世界大戦に三つの大きな結果をもたらした。まず、ムッソリーニの没落を早めた。七月二五日に仲間のファシストによって解任され、その後国王ヴィットーリオ・エマヌエーレ三世の命令で逮捕されたのである。ムッソリーニ政権がイタリアの植民地帝国を失い、自国が関与することにイタリア人が全く関心を持っていなかった東部戦線で多数の死傷者を出すにつれて、ファシズムもイタリア国民の間での支持を失っていた。またこれも付言しなければならないが、一般的にイタリア人が嫌うドイツと完全に提携し、とくにドイツ兵が今やヒトラーの命令でイタリアに流れ込んだことも影響した。この最後の点は、シチリア戦役の第二の結果に関係している。イタリア軍と国民が戦争への意欲を失っていることが明らかになると、国防軍最高司令部は、占領下のフランスとユーゴスラヴィア、ギリシャに駐留するイタリア軍部隊だけでなく、イタリアそのものを防衛する部隊についてもドイツ軍部隊で置き換えなければならないと悟ったのである。この認識は一九四三年九月のイタリアの降伏によって痛感させられたが、すでにその数ヵ月前から認識されはじめていた。

シチリアにおける連合国勝利の第三の結果は、第二の結果と相互に関係している。ピエトロ・バドリオ率いるイタリア後継政府が降伏交渉を行う一方、連合国はイタリア本土への侵攻を決定した。九月に連合国が上陸したことで――イギリス軍がイタリア半島のつま先部分に上陸し、英米連合軍がナポリ近くのサレルノに上陸した――ドイツ軍はイタリア防衛のために相当な戦力を投入するか、単にイタリアを放棄するか、選択せざるを得なかった。そしてドイツ軍はイタリア防衛を選択し、以降はドイツの二個軍団がイタリアで戦闘に専念することになった。このため、東部戦線で後退す

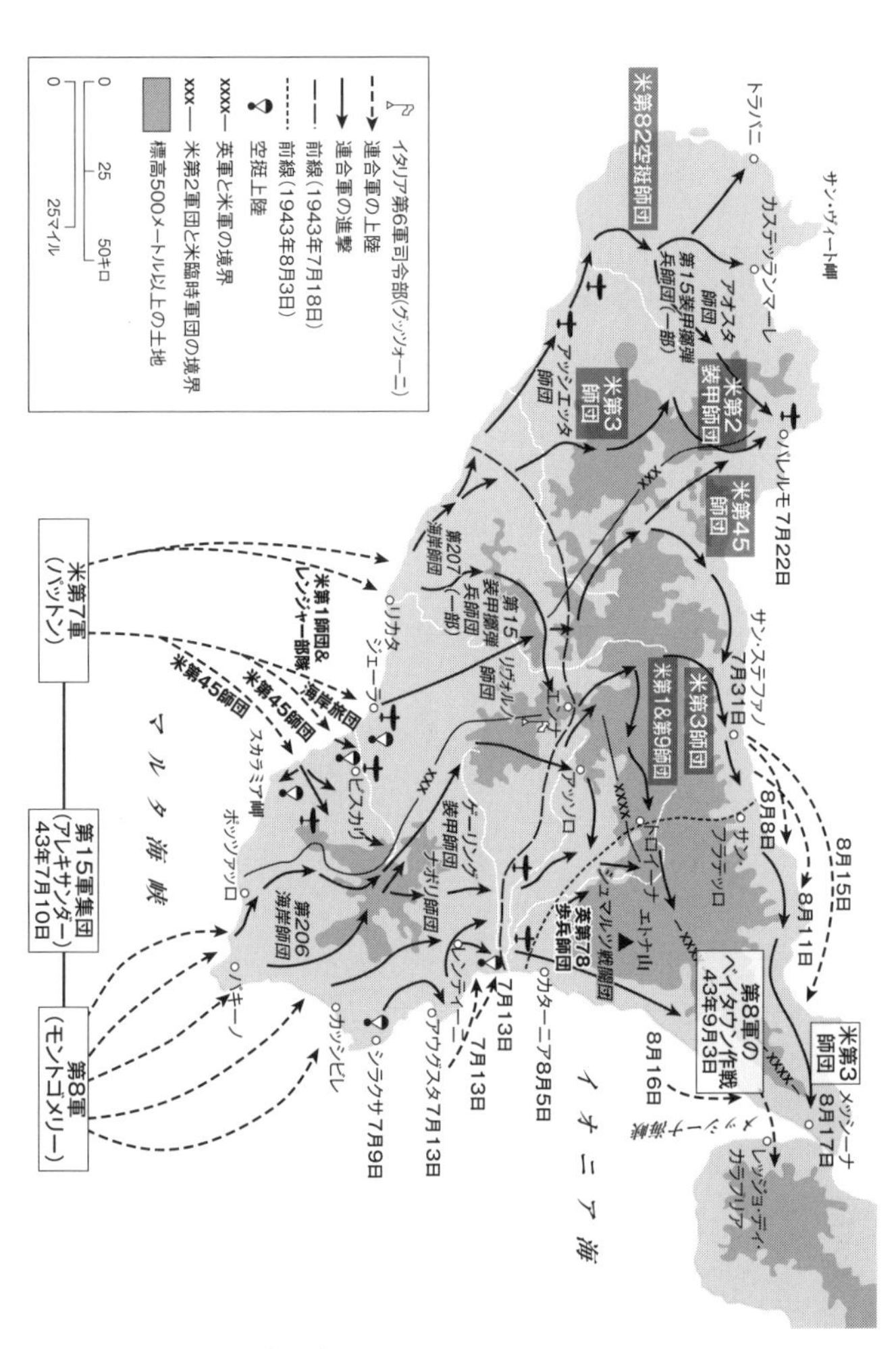

地図 11　シチリア上陸作戦

るドイツ軍を補強することも、フランスとベルギーへの連合国の上陸阻止に必要なドイツ軍を増強することもできなかったのである。

イタリアでは、連合国軍二個軍がドイツ軍二個軍と戦った。地形は防衛側に有利であったが、連合国の制空により相殺された。連合国は激しい戦闘を繰り広げながら、イタリア半島を北上した。ほとんど進展のない膠着(こうちゃく)状態を打開するため、一九四四年一月、ローマ南方の海岸部にあるアンツィオへの上陸が実施されたが、期待どおりの成果は上げられなかった。他方、連合国はガルガーノ半島を奪取することには成功した。ガルガーノ半島の占領により、連合国は期待どおりに「フォッジア周辺の」複数の飛行場を手に入れ、中央ヨーロッパおよび東南ヨーロッパのドイツ支配地域とドイツ同盟国領内にある重要な標的に爆撃機を到達させることができるようになった。ソ連が一九四四年夏に大攻勢を計画していたように、西側連合国もほぼ同時にイタリアで大規模な新攻勢を開始することを予定していたのである。

5　太平洋における戦争　一九四二〜四三年

連合国が北アフリカとヨーロッパで枢軸国の進撃を食い止め、押し戻した数ヵ月の間、両者は太平洋と東アジアでも非常によく似た作戦に従事していた。米国はミッドウェイでの大規模な防勢的海戦に勝利したのち、一九四二年八月初めにソロモン諸島への攻勢を開始した。同諸島のガダルカナル島では日本軍の飛行場が建設中で、米国とオーストラリアを結ぶ海上交通路を脅かしていたのである。［ガダルカナル島をめぐる戦いで］日本軍は増援の逐次投入という措置を自ら進んで採用したが、米軍は、相当規模の戦力をまさに展開する最中であったため、日本軍と同じく増援を逐次投入せざるを得なかった。その結果、六カ月にわたる消耗戦が繰り広げられ、最終的に米国が勝利を収めた。日本は一九四三年二月にガダルカナルの残存部隊を退却させた。米国は損失を埋め合わせ、それどころか太平洋の戦力を増強することができたが、日本にはその余力がなかった。ガダルカナル島およびその上空や周辺で戦闘が続く間、ニューギニアの米軍とオーストラリア軍はココダ道を通って日本軍を押し戻しており、その後ニューギニア北岸に相次いで上陸を敢行した。

米国は今や、太平洋での二方面からの進攻により、日本を敗北させる戦略に関心を向けていた。また、この太平洋での進攻には、東アジアにおける二つの補助的攻勢の支援を受けることが期待されていた。すなわち、南西太平洋では、ダグラス・マッカーサー陸軍大将率いる一連の上陸作戦が展開され、日本が初期の攻勢で占領した島々を経て、日本列島攻撃の拠点となるフィリピンに到達する。中央太平洋では、チェスター・ニミッツ海軍大将の指揮のもと、海兵隊および陸軍部隊を伴う海軍作戦が展開され、日本に奪われたアリューシャン列島の二島を奪還したのち、日本がイギリスから奪った群島や、第一次世界大戦後に日本に委任された諸島を経てフィリピンか台湾に向かい、その後に日本を叩く。さらに、日本列島にずっと近い中国から第三の攻勢を開始すること、また対独戦に勝利したソ連が北方から攻撃することで中国国内の日本軍を足止めし、別の方向から日本列島を脅かすことも期待されていた。

中国では一九三七年から戦闘が続いているので、ここでこの戦域にも注意を向けるのが有益であろう。中国の日本軍は、依然として国民党政府の支配下にある地域に対し、局地的な攻勢を周期的に仕掛けたが、国民党政府は抵抗を続けた。米国は中国の小さな戦闘機隊を支援し、日本列島に到達できる爆撃機を追加することを望んでいた。ビルマ北部から日本軍を駆逐するためのイギリスとの共同作戦では、国民党に対する補給を増やすだけでなく、爆撃機の配備を可能にすることも大きな目的であった。新しい連絡道路を建設するか、日本軍が遮断した既存の道路を再開通するまでの間は、「ハンプ」［丘を意味する］と呼ばれるヒマラヤ山脈を横断する、北東インドのアッサム州からの空輸作戦［ハンプ越え］により、ある程度の補給物資が届けられた。

一九四四年夏の日本の二つの大攻勢は、三つの要素が組み合わさったことで始まった。中国国内に空軍基地が建設され、そこから米国の長距離爆撃機が日本に到達できるようになったこと、アッサムからの空路補給が増加したこと、さらに連合国潜水艦による日本船舶の撃沈が増大したことにより、中国における「一号」攻勢［大陸打通作戦］の開始が決定されたのである。この攻勢は、新しい飛行場を奪取すると同時に、東南アジアの日本軍占領地域——今や多数の日本商船の撃沈で連合国によって孤立させられていた——への鉄道網の開通を目指すものであった。そのうえ、ビルマからアッサムへの大攻勢が空路の補給路を遮断し、インドで対英蜂起を引き起こせるかもしれなかった。中国での攻勢は大成功であった。長期的には、それがのちの国共内戦で共産党が勝利する道を開くことになった。短期的には、中国を拠点とする日本への爆撃と、中国からの日本列島侵攻という考えを断念させた。インドのアッサム州への侵攻は、英印軍が日本軍をインパールとコヒマの戦いで壊滅させ、その後ビルマ中央部と南部から日本軍を駆逐しはじめたため、日本軍にとって大戦中最大の敗北に終わった。

南西太平洋では、オーストラリア軍の支援を受けた米軍が、ソロモン諸島およびアドミラルティ諸島、ニューギニア北岸に上陸し、日本軍を押し戻した。一九四四年夏までに、米軍がフィリピンへの襲撃を準備する一方で、依然として日本が保持する拠点および基地は事実上孤立するという状況になった。南西太平洋とは別に、中央太平洋の戦域でも一連の上陸作戦が展開され、ギルバート諸島のタラワ環礁への上陸を皮切りに、マリアナ諸島へと進んだ。マリアナ諸島における最初の上陸作戦は一九四四年六月にサイパン島で実施された。この侵攻ルートでも、日本軍とその基地は孤立したまま取り残され、日本海軍は壊滅的被害を受けた。日本の海運に対する潜水艦作戦は、暗号解読と正常に機能する魚雷［大戦当初の米海軍の魚雷は不具合が多かった］の利用により成果を上げていた。このため日本は、一九四一～四二年冬にかけて奪取した領土から資源を引き出すことがますます困難になった。

6 形勢が逆転するなかでの占領地域におけるレジスタンスと中立国の方針

あらゆる戦域における連合国による形勢逆転の明確な兆候は、独伊日が占領し、かつ支配を維持していた領土における抵抗運動に拍車をかけた。これはデンマークとノルウェーだけでなく、西ヨーロッパと東南ヨーロッパでもそうであった。これらの地域では、日本軍がまだ支配していたフィリピンとオランダ領東インド、その他の地域と同様に、占領軍の残虐な振る舞いが抵抗をますます強めることになった。連合国はしばしばレジスタンスと接触し、武器を提供した。ユーゴスラヴィア情勢に関するイギリス政府の方針転換——王党派チェトニクの支援から共産党系パルチザンの支援への切り替え——は、内戦におけるパルチザンの勝利と、大戦後におけるる指導者ティトーによるソ連からの独立運動に寄与した。

戦争の風向きの明らかな変化は、依然として中立を守っていたいくつかの国の行動にも影響を及ぼした。トルコはドイツへのクロム〔希少金属の一種〕の輸出を減らし、一九四五年二月にはドイツに宣戦布告した。ポルトガルは大西洋の戦いにおける連合国によるアゾレス諸島の利用に声高に反対しなくなり、スペインは東部戦線でドイツとともに戦う部隊を減らした。スウェーデンは徐々に対独支援から方針転換した。スイスだけが戦争終結の数週間前までドイツを経済的に支援し続けていた。

戦争の風向きの変化における重要な要素の一つは、各国の試みをとにかく調整しようと努める連合国の意欲であった。会談や外交・軍事使節団を通じて、しばしば議論や意見の相違はあったにせよ、戦争努力の調整を試みたのである。一九四三年のモスクワ会談およびカイロ会談、テヘラン会談は、この手続きを公然と象徴していたが、とくに米英は効果的に協同することを学んだ。その一方で、独伊日は戦略の調整や、情報交換を維持することがなかった。連合国は時に機密諜報さえ共有したが、枢軸国は一切しなかったのである。

第7章　銃後と技術・医療分野における変化

1　ドイツ

ドイツ側の銃後における戦争の影響は劇的であった。ドイツでは一九三九年八月に配給制が始まった。ドイツ本国の配給は、大戦のほとんどの期間においてヨーロッパで最高水準にあり、さらに大戦初期には、ドイツ軍占領地から兵士たちが本国に送った数百万の小包がこれを補完していた。これらの小包には大量の盗品や、〔固定相場制の導入により〕意図的に過小評価された現地通貨で購入したものが含まれていた。こうした状況は一九四三〜四五年に悪化した。ドイツ軍が後退し、連合国の爆撃が輸送網を混乱させたからである。ドイツの住宅の相当部分が爆撃によって、また大戦末期の七ヵ月間には国内での戦闘によって倒壊ないし損傷した。ナチ国民福祉団が爆撃で焼き出されたドイツ人に配給する、殺されたユダヤ人や被占領国の住民から奪った服や家具、その他の品物も、以前より少なくなった。その一方で、ナチ最高指導部のヒトラー、ゲーリング、アルフレート・ローゼンベルクは、ヨーロッパ中の芸術品の略奪に多くの時間と努力を捧げていた。

障害のある子供を産む可能性があるとされた者の強制断種計画（一九三三年に制定）や、「［人種的に］正統な」血統の子供を多く産んだ者への特別勲章［一九三八年に導入］は、大きな反対を受けることなく戦争終結の数週間前まで実施された。一九三九年には、精神的・肉体的に重大な障害をもつ者すべて、および養護施設や老人ホームの入居者を殺害する計画が開始され、キリスト教会から多少の反対を受けた。犠牲者に「アーリア人」住民の親族がいたため、ナチ政権は騒動を静めるため手続きを変更した。ナチ政権の指導者たちは、ドイツは第一次世界大戦で負けたのではなく、銃後の紛争によって背後から刺されたのであると信じていたためである。一九四一年八月に公式に殺害の停止が命令されたが、現実には連合国の占領当局が強制的に停止させるまで、脱中央化したかたちで継続した。殺害プロセスが脱中央化したことにより、人々が殺害された安楽死施設の職員たちは、ユダヤ人の組織的殺害を目的として占領下ポーランドに設立された新たな施設［絶滅収容所］に移ることができた。

ドイツでは各地に収容所や付属収容所［外部収容所］が建設され、戦争捕虜や誘拐された強制労働者、政権に敵対的とされた者が収容された。また収容所からは文字どおり数百万人が連行され、徴兵されなかったドイツ人と並んで働いた。ドイツ社会は、すでに確立されていた警察制度の継続、また警察制度に関する一般的な知識の影響を受け、さらに告発の恐怖に蝕（むしば）まれていた。五〇〇万人以上のドイツ兵士と数十万人の民間人が殺されたにもかかわらず、ドイツ人の大多数は戦争終結の数週間前まで政権を支持していた。

2 ポーランド

ポーランド以上に第二次世界大戦によって劇的な変化を経験した国はない。一九三九年にはドイツとソ連の間で分割され、その後はソ連に割り当てられた地域をドイツが占領し、さらに赤軍が全土を占領し、最後にはソ連に東部を割譲し、西方および北方に元ドイツ領土を獲得して、ポーランドは西の方に移動することになった。ドイツもソ連も多数のポーランド人を殺害・追放したが、両国の政策には根本的な差異があった。ドイツは世界中のユダヤ人をすべて殺害することを決め、その結果、三〇〇万人以上のポーランド系ユダヤ人が殺害された。潜伏したり追放されたりして生き残ったユダヤ人はごく少数である。その一方で、ソ連ははるかに多くのユダヤ人をただ追放し、その多くがその過程で死亡した――ただ、生存者は中央アジアに追放されたため、ドイツの手が届かなかった。ドイツはポーランドのキリスト教徒の完全な抹殺を計画していた。知識人と聖職者を皮切りに範囲を広げ、強制労働や大量断種、殺害により抹殺するのである。ドイツ人がポーランドから追い出されるまでに、約三〇〇万人のポーランド系キリスト教徒がこの政策の犠牲者となった。これに対してソ連は、キリスト教徒かユダヤ教徒かを問わず、すべてのポーランド人をスターリン主義の良き共産主義者に変えることだけを望んでいた――しかしソ連は、その過程で何十万人が殺害または追放されようとも意に介さなかった。ソ連はこのプロセスを一九三九～四一年に開始し、ドイツを追い出したのち一九四四～四五年に再開した。

ドイツ占領時にはポーランド国内に民族主義的抵抗運動と共産主義的抵抗運動の両方が存在したが、戦後すぐに民族主義的運動は壊滅させられた。全土で波状的に繰り返された戦闘はポーランドの大半を廃墟に変え、首都ワルシャワは一九四四年夏の大規模な蜂起ののち、ドイツ軍によって蹂躙(じゅうりん)された。皮肉なことに、一九四四～四五年冬の赤軍の急速な進撃のために、ポーランドが戦後に獲得した北部および西部地域の一部はドイツ系現地住民が追い出される際にそれほど破壊されず、主としてソ連に併合された東部地域からやってきたポーランド人が定住した。新たに獲得した西部地域では、戦時中にいくつかの都市がやはり蹂躙されていたが、農村地域は大きな被害を受けなかった。戦後、ドイツやソ連の占領から逃れたポーランド人の多くは、ソ連占領地域に樹立された共産主義政権の下で生きることを望まなかったため、出身地への帰郷を拒否した。ポーランド人とウクライナ人の摩擦は戦中も戦後も続いた。こうした摩擦は戦中には暴力を伴い、戦後には多くのウクライナ人が強制的に移住させられた。

3　デンマーク、ノルウェー

ポーランドが戦争で最も変化した国だとすれば、デンマークは最も変化しなかった国であった。デンマーク政府は一九四〇年に降伏したが、一九四三年八月まで国の行政管理を維持した。この時ドイツはより直接的な権限掌握を試みるが、デンマーク政府は部分的には存続し［政府は公式に解散させられ、戒厳令が布かれたが、事実上の行政機構として終戦まで機能し続けた］、ドイツの降伏によって、戦うことなく国が解放されることになったのである。しかし、逮捕されたデンマーク人もいたし、レジスタンスも徐々に拡大していた。デンマークの農産物はドイツの食料供給を支えたが、一九四三年にドイツがデンマーク国内のユダヤ人の殺害を決めた時、デンマークの人々はスウェーデンに送るか匿（かくま）うことで同国内のユダヤ人のほとんどすべてを救った。デンマークとアイスランドの同君連合は第二次世界大戦中に解消された。アイスランドとグリーンランドは事実上連合国側についており、どちらも大規模な戦闘を経験しなかった。

ノルウェーの状況は、デンマークの状況とは根本的に異なっていた。一九四〇年に戦闘によってそれなりに破壊されたし、戦争終結前の数ヵ月間には、撤退するドイツ軍がノルウェー北東部で故意にすべての建物と施設を破壊した。特殊部隊（コマンドー）の襲撃と現地レジスタンスは一部地域で破壊を引き起こし、ノルウェーの船舶が連合国側に加わると、ノルウェー船の多くが戦争中に撃沈された。しかし、主要都市はほとんど破壊されなかった。トロンハイムはドイツの主要都市となることが予定されていたが、この壮大な計画は連合国の勝利によって頓挫した。国内的には、戦後まで禍根を残した論争もあった。元首相のヴィドクン・クヴィスリングは、ドイツの侵略者に対する彼の支持が象徴する反逆形態［売国奴］を指す代名詞にその名前を残すことになった。彼は戦後に行われた裁判ののち処刑された。利敵行為への対処法の一つである。その他の戦争犠牲者としては、ドイツ軍に射殺された多数のレジスタンス構成員、ノルウェー国内の大多数のユダヤ人がいる。ノルウェーのユダヤ人は、ドイツ外務省の次席エルンスト・フォン・ヴァイツゼッカー外務次官［ドイツ連邦共和国大統領リヒァルト・ヴァイツゼッカーの父」が、スウェーデンによるユダヤ人受け入れ案を断った時に殺された。しかしノルウェー領土の大半は、予想された連合国の反攻に備えて、ヒトラーの命令で駐留していたドイツ軍の大部隊によって、一九四五年に無傷で返還された。

4　オランダ、ベルギー、ルクセンブルク、フランス

オランダは一九四〇年と一九四四〜四五年に戦闘と爆撃の場となった。一九四四年にドイツが特定の地域を冠水させるために複数地点の堤防を開いたことで、一九四四〜四五年冬には飢餓が発生した。レジスタンス活動により多数の捕虜が射殺され、ユダヤ人のほとんどが絶滅収容所に強制連行された。オランダ領西インド諸島には日本とドイツの手が届かなかったが、東インドは日本に占領された。かつての植民地行政の断絶と米豪軍による解放によって、植民地では独立願望が刺激された。オランダの統治は一九四五年に名目上回復したが、その直後に終焉することになる。亡命政府は本国に帰還して、戦争によって、とりわけ最後の数ヵ月間に壊滅的な影響を受けた社会に直面しなければならなかった。

ベルギーも一九四〇年と一九四四〜四五年に重大な戦闘の場となった。とりわけ一九四四年一二月のドイツによるアルデンヌ攻勢によるところが大きい。バルジの戦いとして知られるこの戦闘により、いくつかの地点に相当な被害がもたらされた。占領中、ドイツ軍は本物かどうかはともかく、多数の抵抗者を射殺し、最後の攻勢では農民も殺戮(さつりく)した。オランダの女王とは異なり、国王が国内

にとどまったという事実は、帰還してきた亡命政府にとって問題となった。占領はワロン系とフラマン系の国民の間の摩擦を高め、同国のユダヤ人の多くが殺された。同国が戦争の傷を癒やすのには何年もかかり、国内の摩擦が続いた。

ルクセンブルクは一九四〇年に迅速に占領され、ドイツに併合された。占領中にはこの地域をドイツ化するさまざまな動きがあり、一九四四～四五年冬には多少の戦闘が発生したが、物理的な被害は小さかった。亡命した女大公は同国が独立を取り戻すと帰国した。

フランスの国内状況は並外れて複雑で、これが戦争の直接の影響とその後の同国の議論と記憶、政策の両方に影響を及ぼした。一九四〇年五～六月の戦闘は多少の被害を引き起こしたが、第一次世界大戦の被害に比類するようなものではなかった。ドイツはフランスの大半を占領し、一九四二年一一月に残りの地域を占領した。多数の捕虜が射殺され、それは本物ないし想像上の抵抗者も同様で、無数の共同体が壊滅させられた。ユダヤ系住民の一部は絶滅収容所に連行されたが、大半が生き延びている。フランス人聖職者の反対と各家庭がユダヤ人を匿ったこともあるが、一九四四年の連合国の侵攻が当時進行中だった追放計画を停止させたことが大きい。連合国の侵攻と、侵攻の前および最中に行われた爆撃によって、とくに同国の北部と北東部で、多数の民間人死傷者と大きな破壊がもたらされた。

フランスの非占領地域に樹立されたヴィシー政権は、一七八九年以降のフランスの変化をすべて逆転させることを試みて、以後一世紀にわたってフランスの公共圏を動揺させる議論と神話、記憶を残した。一九四四～四五年には本物や想像上の利敵協力者（コラボレイター）の略式処刑が多発し、その後も利敵行為を非難された者の裁判が行われた。レジスタンスも戦後の議論に独特の神話を残した。ヴィシーへの忠誠と自由フランスの指導者ド・ゴールへの忠誠の間で分裂した広大なフランス植民地帝国をめぐって多くの争いがあり、戦争が終わる頃には、植民地帝国は反植民地運動で揺れていた。農業分野はフランス経済の大きな部分を占めていたが、都市では飢餓が生じた。追放された強制労働者のほとんどは一九四五年に故郷に戻ったが、数万人のドイツ戦争捕虜は、農場や復興を支援するための新たな強制労働者集団としてフランスに留め置かれた。一九四〇年の迅速な降伏はフランスの誇りへの大打撃であり、ド・ゴール陸軍准将はフランスの誇りを蘇(よみがえ)らせるために最善のことも最悪のことも行った［ド・ゴールはイタリアからの領土奪取や植民地帝国の拡大を試み、その気難しい性格のために米英指導者との関係が絶えず緊張した］。北西イタリアの一部を併合する試みはハリー・トルーマン大統領によって挫かれたが、フランスはドイツとオーストリアの占領地域に加えてベルリンとウィーンにも占領区域を得て、ザール地方を完全に支配下に置き、ドイツ管理理事会に議席を持ち、さらに国際連合安全保障理事会の常任理事国となることを認められた。

5　イギリスおよび英連邦(コモンウェルス)、植民地帝国

第二次世界大戦前および開戦からの数ヵ月間、イギリスでいかに意見が分かれていたにせよ、そうした相違は一九四〇年の春と夏にはなくなった。爆撃による多数の民間人死傷者、都市における大規模な破壊、配給制度（戦勝後も一〇年続いた）に直面して、大衆は結束を固めた。ドイツ、次い

で日本に連続して悲惨な敗北を喫し、多くの死傷者を出したことは大衆を揺さぶったが、一九四〇年五月から一九四五年七月の間、政権交代が起きることはなかった。フランスと同様、軍の死傷者は第一次世界大戦と比べると少なかった。政府はナチ支持者の一部とナチ・ドイツからの多数の難民を抑留し、その後解放した。難民の一部はカナダとオーストラリアに送られた。一九四四〜四五年にかけて発射されたドイツのミサイル兵器V—1とV—2による死と破壊は、すでに大きな苦難を経験していた国民の忍耐力を試すものとなったが、その頃には勝利が見えていたので、全般的な影響は決してヒトラーが望んだようなものではなかった。人々は数十万人の米軍人による「米国による占領」と名付けられたものを喜びと憤りの入り交じった気持ちで受け止め、米軍人を「給料・性欲過剰のよそ者」（'over-paid, over-sexed, and over here'）と呼んでいた。

国民の生活にはかなりの制限が続くことになったが、イギリスの戦後は、これとは別に戦争の二つの作用からより大きな影響を受けた。戦間期の不景気の記憶と、階級格差の改善および経済的な平等性への期待が重なり、一九四五年七月の選挙では、労働党が圧倒的勝利を収めて政権についた。国際関係においては、第二次世界大戦でのイギリスの尽力の甲斐（かい）あって名目上は大国の地位を維持することができたが、現実にはイギリスは大幅に弱体化していた。イギリスの自治領は外交における従来以上の自立を主張したのみならず、それどころかオーストラリアとニュージーランドに至っては、自国の安全保障を米国に頼るようになった。イギリスの植民地帝国は動揺を来していた。最大の植民地インドは明らかに独立に向かっていたし、アジア・アフリカの植民地も同様であった。二度の世界大戦により、超大国としてのイギリスの役割は終焉したのである。

6　イタリア

ムッソリーニにとって、再び戦争する理由をイタリア国民に説明するのは困難であった。ギリシャのみならず東アフリカおよび北アフリカでの軍事的敗北、さらに一九四三年初めの東部戦線における惨憺（さんたん）たる損失により、ファシスト体制がそれまで得ていた大衆の支持を事実上すべて失った。ドイツによるイタリア支援の決定に対し、イタリア人は感謝するどころか憤慨した。またこの支援は、イタリアが一九四三年七月から一九四五年五月にかけてきわめて破滅的な戦闘の場になるという重大な結果を生じた。イタリア植民地帝国の喪失によってイタリアの支出は相当に減り、それは戦後の経済回復に貢献した。しかし、戦争の主な影響は、それまでの一世紀にわたりイタリアを統合していた君主制の撤廃、ユーゴスラヴィアへの一部領土の割譲、一九四五年の内戦に近いものの残滓（ざんし）〔戦後のファシスト粛清により、多数の兵士やファシスト協力者が殺害された〕を伴う人的・物的損失の苦い記憶であった。

7　ソ連

ソ連は戦争によって変容させられた。二五〇〇万人以上の国民が殺害ないし餓死、病死した。また数百万人の少数民族は、事実かどうかはともかく、侵略者に協力する傾向があると考えられたため、強制的に移住させられた。解放された戦争捕虜と強制労働者は、故郷で歓迎されるどころか罰を受けた。そして多数の共同体が破壊された。その一方で、ソ連体制はこの時初めて国民の大多数から正統性を獲得した。なぜなら、ドイツによる占領の恐怖と戦争捕虜に関する政策が、スターリンを人々が恐怖し、憎悪する独裁者から、想像するだに恐ろしい運命から国民を救う善良な救世主へと変えたためであった。ソ連西部の経済は大きな被害を受けたが、戦火を避けてウラル地方と中央アジアに新たに建設された工場は操業を続けた。政権が国民を結集させるために戦争中に容認した一時的な統制の緩和は拡大されるのではなく覆されたが、これはソ連の多くの人々にとっては国際関係におけるソ連の新しい地位によって相殺された。その莫大（ばくだい）な犠牲にもかかわらず、戦争の大きな試練においてソ連が果たした役割が人々の誇りになったのである。あらゆるレベルの当局者は、第一次世界大戦におけるロシアの運命の結果の逆転にかなり満足していた。ソ連は領土を失うどころか新たな領土を獲得し、ヨーロッパの隣国に対する影響力をすべて失うどころか東ヨーロッパと東南ヨーロッパを支配したのである。一九〇五年に日本に奪われた東アジアの領土も一部取り戻したが、ソ連国内でそのことを知っていたり、気にしたりする者はほとんどいなかった。

8　日本

日本の銃後は八年に及ぶ戦争によって大きな負担を強いられた。一九四四～四五年の本土爆撃に伴って犠牲者数が増加するが、連合国の潜水艦作戦がますます奏功して国内産業向けの物資が減少するにつれて、こうした着実に増えていく犠牲に耐えるのがより困難になった。国民は疲れ切っていたが、政権を支持し続けていた。ただし、一九四二年に開催された選挙では、政府が推薦しなかった一部の候補が議席を獲得している。政府が降伏を決断したことで、数百万人の死傷者やさらなる爆撃、新たな原爆投下を伴う本土での破壊的な戦闘、その後の複数の占領地域・区域への分割を避けることができた。天皇に降伏を命令するよう助言した者たちは、困窮と苦難のさらなる増大に伴う国内の政治的混乱の恐怖に影響されたのかもしれないが、理由が何であれ、この降伏は米国最高司令官のもとでの国の一体性の継続を暗に意味した。米国だけでなくイギリスの占領軍もやってきたが、日本国民は占領軍の兵士たちが彼らを悩ませるよりも助けてくれそうだということをすぐに理解した。ソ連による北海道沖の小さな島々の奪取および同島の住民の追放は、依然として領土紛争の種であるが、これは国民のごく一部に影響しただけで、大多数の国民は戦争の終結に安堵した。主として米国の肝煎り(きもい)で矯正された体制のもと、日本は新憲法と自立した労働組合、農地改革、女性参政権を手にし、徐々に経済を回復させた。

9　中国

中国は経済的にも政治的にも戦争の影響を受けて変化した。人的損失の総計は知られていないが、少なくとも一五〇〇万人とみられる。被害は大きかったが、国内の占領地域および非占領地域では新たな工業開発も進んだ。日本が一九三一年の占領以降に満洲で発展させた工業のほとんどはソ連が奪ったが、多年にわたる戦闘による重大な影響としては、二〇世紀の初めに混乱に陥った国を再統合するという、蔣介石率いる国民党の試みが失敗に終わったということがある。先に述べたように、日本の軍事作戦、とりわけ一九四四年の「一号」攻勢による長期的影響の主たるものは、日中戦争の終結後すぐに始まった国共内戦における中国共産党の勝利を可能にしたということである。戦後の日本は、中国に限らず、東アジアと東南アジアの各地で行った殺害やレイプ、破壊といった悲惨な記録を認めることに前向きではない。戦後ドイツの日本とは異なる政策と態度がヨーロッパに人々の和解をもたらしたが、日本については、この憎悪の遺産により人々の和解が妨げられている。

10　米国

米国では、第二次世界大戦の参戦前および第一次世界大戦中にみられた世論の分裂は事実上なかった。局地的な論争や部分的な配給制度、価格統制のための政府の取り組み、時折発生するストライキや工場閉鎖はあったが、日本から攻撃を受けたことで、戦争を勝利で終わらせるという世間一般の決意に影響を及ぼしたりはしなかったのである。戦時公債運動と献血運動、くず鉄やその他の物品の回収は快く受け入れられた。米国の一部の州では日系米国人の一時的抑留が行われた。日本の暗号解読によって得られた諜報を米国に対する忠誠心のない一部の日系米国人から秘密にするためであったが、この措置は抑留者を苦しめ、のちに米国社会は後悔の念に駆られた。一九四二年の中間選挙では野党の共和党が議席を伸ばしたが、ローズヴェルト大統領が一九四四年の大統領選挙で四選を果たした。このため一九四五年四月にローズヴェルトが死去すると、民主党のハリー・トルーマンがその跡を継いだ。ここで戦時中の出来事の三つの主要な長期的影響に言及しなければならない。戦後世界で米国が果たす、それまでとは異なる役割に大衆を慣れさせるためのローズヴェルトの慎重な取り組みは成功したし、第一次世界大戦後にみられたような講和条約と国際組織への反対はなかった。気候や地域の地理を理由として、米国南部および南西部、西部に訓練場や施設、造船所を置くという戦時中の決断によって人口分布が変化し、政治権力の配分も変化した。最後に、女性とアフリカ系米国人の地位に関する重要な変化が始まった。

11　中南米諸国、中立国、そして技術的発展

中南米諸国は、アルゼンチンを除いて連合国に加わった。小規模な戦闘部隊を派遣したことを除けば、ブラジルとメキシコの主たる役割は、枢軸国に対して物資と船舶の供給を拒否する一方で、連合国に対してはこれらを供給したことである。ドイツ系住民の一部が抑留のために米国に送られたが、これらの諸国では国内の混乱は比較的小さかった。戦争末期には、赤十字とヴァチカン関係者の支援を受けて裁判から逃れようとする相当数のドイツとクロアチアの戦争犯罪者をいくつかの国が受け入れた。

ヨーロッパの中立国は、連合国・枢軸国の双方に物品を高値で売ることで戦時中にかなりの収益

を上げた。スウェーデンはドイツ軍の通過を許可し、スイスはナチの略奪と金融活動に深く関与していた。しかし、ドイツ側に相当数の兵士を派遣したのはスペインだけで、生き残った兵士たちは、激しい内戦から復興の途上にある祖国に戻っている。

主要交戦国のすべてにおいて、戦争中に利用された軍事技術および医療が相当な発展を遂げたが、こうした技術的発展は戦後において非常に重要であった。新型の戦車や航空機、軍艦、大砲が製造・運用された。レーダー、ジェット機、弾道ミサイル、核兵器は大戦中に用いられた最も劇的かつ革新的な兵器であり、戦後さらに発展した。敵国の破壊を目的とした試みのうち最も極端なものに、風船爆弾がある。数千個の風船［直径約一〇メートルの気球］に焼夷弾を搭載したもので、日本はこの兵器を用いて米国およびカナダの西部を破壊することを期待していたが、実際には死傷者や破壊はほとんどなかった。輸血の大規模な利用とペニシリンのような新薬の登場は多数の負傷者の命を救い、戦後医療の標準要素となった。戦争による物質的破壊は膨大なものであったが、戦時開発の有益な側面もあったのである。

第8章　連合国の勝利、一九四四〜四五年

1　枢軸国

一九四四年春までに、世界征服というドイツの目的はもはや達成不可能であることが明らかであった。ヒトラーとその側近たちは、連合国の同盟の崩壊、または西部戦線における連合国による侵攻の撃破（同年中の撃破を期待していた）により、西部戦線から東部戦線へのドイツ軍の大部隊の移動が可能になり、これまでの戦闘で膨大な死傷者を出していた赤軍を壊滅させることに望みをかけていた。同時にドイツは、軍事作戦遂行への影響の如何を問わず、手が届くかぎりのユダヤ人を殺戮するという重点計画を継続するつもりであった。

イタリアでは、ムッソリーニのあとを継いで連合国に降伏したバドリオ政権が、連合国の監督下で同国南部に樹立された。バドリオ政権は連合国とともに戦う兵士を募ったものの、戦闘により国

土がさらに荒廃し、北イタリアにムッソリーニ率いる傀儡政権がドイツによって樹立されるのをただ見ているしかなかった。北イタリアでは、パルチザンとドイツ軍の戦い、パルチザン同士の戦いが続いた。日本政府はかつて経度七〇度でのアジア分割にドイツの合意を取り付けたが、インドやマリアナ諸島、南西太平洋における敗北、あるいは東南アジアからのシーレーンにおける船舶損失の増加は、一九四四年夏の「一号」攻勢の成功をもってしても相殺することはできなかった。可能なかぎり猛烈に戦うことが唯一の選択肢であるように思われたのである。

2 連合国

西側連合国は枢軸国が無条件降伏するまで戦うつもりであった。今回は、第一次世界大戦後にドイツが主張したような、敗戦国は実際には敗北していなかったという主張は許されなかった。米国政府の指導者たちは、米国が第一次世界大戦後のように世界を見捨てず、米国民が国際組織に関わるようになることを決意していた。ソ連政権の完全な野望については、モスクワの大統領文書館が公開(願わくは記録されている紙が取り返しのつかないほどに劣化する前に)されるまで正確に記述することはできないが、いくつかの点は明らかである。ソ連はその支配地域を広げ、できるかぎりヨーロッパの奥深くまで影響力を拡大することを計画していた。ソ連はかつて国際連盟から除名されたが、再起したドイツに再び侵略されることのないよう、国際組織に加わることになった。当時の指導者たちは皆、ドイツが第一次世界大戦で敗北したにもかかわらず、たった二〇年後には再び世界支配を試みたという事実を重く受け止め、こうしたことが二度と起こらないように注意して計画を立てることに集中した。

テヘラン会談において、連合国は一九四四年にヨーロッパのすべての主要前線において攻勢を仕掛けることに基本的に合意していた。この攻勢にはとくに、フランスの地中海岸での侵攻の支援を受けて、英仏海峡を横断する侵攻作戦が含まれていた。チャーチルは依然として懸念していたが、この英仏海峡を横断する侵攻作戦「オーヴァーロード」作戦が実行された。またイギリスは同作戦以上に強く反対したが、フランス南部海岸［コート・ダジュール］への上陸計画——当初は「アンヴィル」、のちに「ドラグーン」という暗号名を付けられた——も実行された。連合国は、イタリアとフランス、そして東部戦線において大規模攻勢をほぼ同時に仕掛けることで、ドイツ軍がヨーロッパのある地域の攻勢を迎え撃つために別の地域の部隊を移動させることを防げると想定していたが、この想定は正しかった。加えて、西部戦線における欺瞞（ぎまん）作戦が成功し、ドイツ軍はカレー地域とノルウェーでのありもしない連合国の上陸を待ち構えることになった。他方、ドイツの中央軍集団が大規模な攻撃を受ける際に、ソ連の欺瞞により、ドイツ軍予備部隊は北ウクライナ軍集団に対するソ連の攻勢に備えて足止めさせられた。

時系列的に沿って見ていこう。連合国はまず五月一一日にイタリアに対する大規模な攻勢を開始した。米英軍はドイツ軍の防衛線をじりじり乗り越え、アンツィオに一月に上陸していた部隊と合流した。米軍司令官のマーク・クラーク陸軍中将は事前の計画および常識に反し、ドイツ軍の大部分を遮断する代わりにローマに急行した。ローマは六月四日に解放されたが、連合軍は北・中央イタリアから敵軍を駆逐するためにゆっくりと前進しなければならなかった。それでもこのイタリアにおける攻勢は、ドイツ軍がその直後に脅かされた他の前線に部隊を移動させるのを妨げたし、連合国がイタリアに配備されていたいくつかの部隊を南フランスへの上陸作戦に向かわせることを可能にした。

六月六日、イギリス軍および米軍、カナダ軍がノルマンディーの五つの海岸に上陸した。これは上陸に先立つ空と海での勝利によって可能になった作戦であった。ドイツの断固たる抵抗のため、橋頭堡の結合とフランス内陸部への進撃は遅延したが、七月最終週には米軍がノルマンディーの前線の西端を突破し、ブルターニュだけでなくフランス内陸部まで急速に進撃した（地図12を参照）。ドイツ国内の反ヒトラー派が七月二〇日に試みた独裁者ヒトラー暗殺は失敗した。一人を除いてすべてのドイツ軍上級司令官は、軍の抵抗指導者であり元陸軍参謀総長でもあったルートヴィヒ・ベック陸軍大将ではなく、賄賂をくれた指導者［ヒトラー］のもとに結集した。八月半ばには米軍と自由フランス軍がフランスの地中海岸に上陸し、トゥーロンとマルセイユの主要港を占領してから北に進撃した。両港はその後、連合国の補給にきわめて重要な拠点となった。パリはノルマンディーからの攻勢で解放され、その直後に二つの上陸部隊が合流した。ノルマンディーから突破する米軍の遮断を目的とするドイツ軍による大反攻の試みは失敗した。連合国による自軍への補給および増援を妨げるため、ドイツ軍は各港を破壊ないし固守（あるいはその両方）したが、連合国による秋の攻勢の遅延に寄与したものの、それでも連合国軍を撃破することはできなかった。九月、連合国は、ライン川支流にかかる橋複数を奪取するために三度の空挺襲撃を組み合わせて、ライン川とい

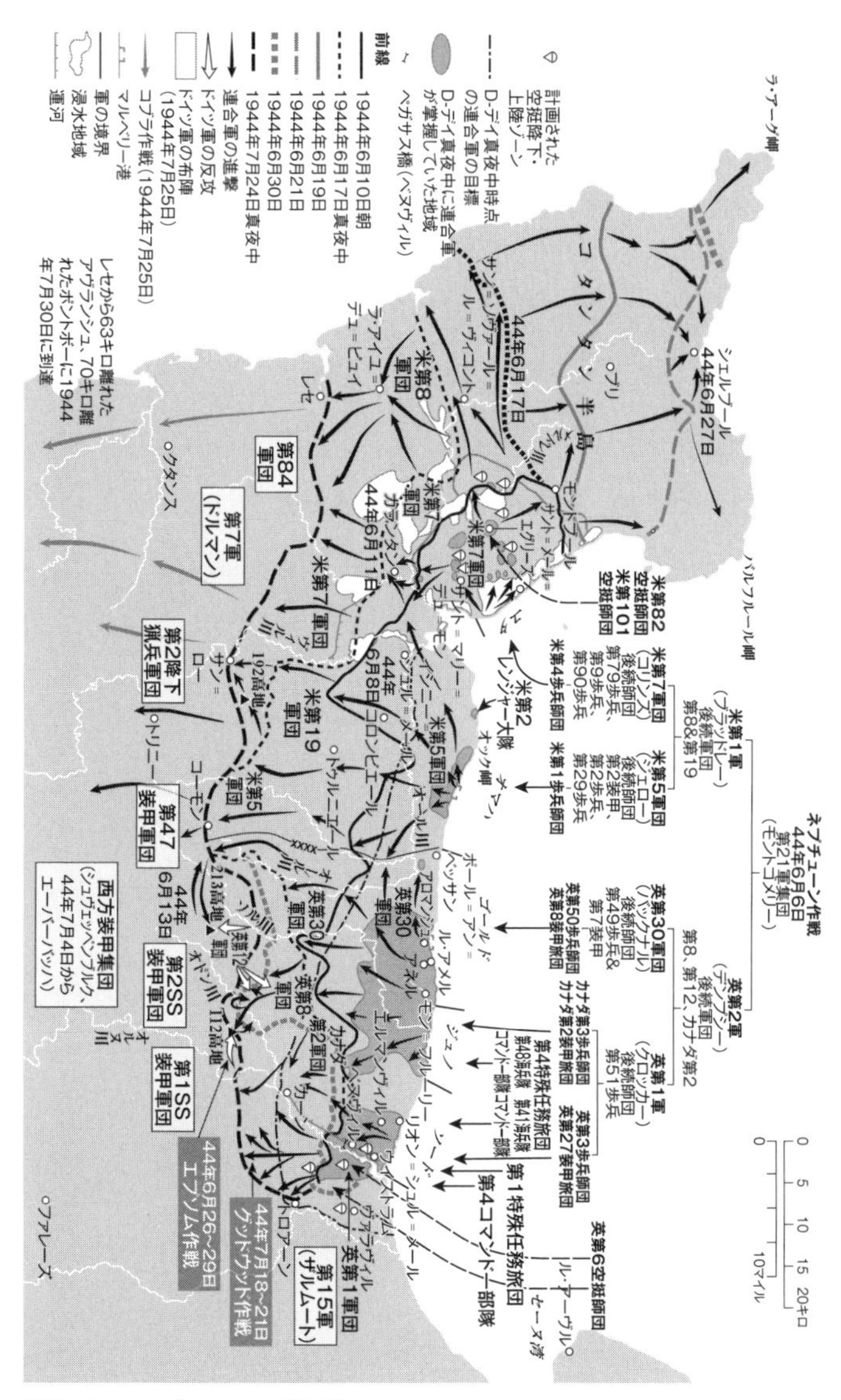

地図 12　オーヴァーロード作戦

う障壁を前線北端で乗り越え、これらの橋を通ってオランダとドイツ北部に突入しようと試みた［マーケット・ガーデン作戦］。しかし、ドイツ軍が最北の空挺師団を壊滅させた時に、この試みは挫折した。それにもかかわらず、連合国はいくつかの区域では前進を続け、一〇月二一日にはアーヘンが、ドイツの重要都市としては最初に米軍によって征服された。ドイツがひそかに大規模な反攻を準備する間、ドイツ軍の増援部隊と国境付近にある戦前に建設された要塞が連合国の進撃を遅らせた。

東部戦線では、ソ連赤軍が一九四四年の最初の数ヵ月間にウクライナのほとんどからドイツ軍を追い出し、四月にはクリミアも奪還した。しかし、四月と五月のルーマニアへの大規模な攻勢は、東部戦線におけるドイツ最後の重要な戦術的勝利によってドイツ軍に撃退された。六月、ソ連はまずフィンランドを攻撃して、一連の攻勢でフィンランドが休戦を訴えるよう仕向け、九月に休戦協定が調印された。ドイツの作戦のせいで、フィンランドはかつての同盟国と戦うはめになった［ソ連海軍を封じ込めることを目的として、ドイツ軍はフィンランド湾のスールサーリ島の攻略を試みたが、フィンランド軍の守備隊に撃退された］。六月二二日、入念に準備されたソ連の大攻勢がドイツ中央軍集団を襲った。赤軍の「バグラチオン」作戦により、ドイツ軍は第二次世界大戦最大の敗北を喫した（地図13参照）。軍集団全体が壊滅し、数万人のドイツ兵が捕虜となったのである。赤軍は迅速に前進し、バルト海に急行することにより前線北端でドイツ軍部隊を遮断した。ドイツ軍は自軍兵士のために一時的に回廊を再び開いたが、その後ラトヴィア西部でドイツ軍の大部隊が孤立させられた。この部隊は、ヒトラーの命令により、終戦までラトヴィア西部を固守した。これは新型潜水艦の試

前線(1943年12月)
前線(1944年6月半ば)
前線(1944年12月末)
xxxxx— 軍集団/方面軍の境界
包囲されたドイツ軍
国境線(1941年6月21日)
第8軍 ドイツ軍の布陣
第1バルト方面軍 ソ連軍の布陣

0 100 200 300 400 500キロ
0 100 200 250マイル

1 1944年2月に解散
2 1944年4月21日に創設、1944年10月16日に解散
3 1945年2月に解散
4 1945年4月まで西部方面軍
5 1944年2月までベラルーシ方面軍
6 1944年に解散、1944年8月に再創設
7 1944年4月から南ウクライナ軍集団、1944年9月から南方軍集団
8 1944年4月から北ウクライナ軍集団、1944年9月からA軍集団
9 1945年1月にクールラント軍集団に改称
10 1945年1月に北方軍集団に改称、1945年4月2日に解散
11 1945年1月に中央軍集団に改称

地図13　独ソ戦(1943～44年)

験運航のために バルト海の管制を必要としたドイツ海軍がヒトラーに助言したためである。中央の赤軍はポーランドに進撃したが、ポーランド人地下組織がワルシャワで蜂起すると前進を停止した。赤軍が確保したヴィスワ川とナレフ川を横断する橋頭堡はのちの冬季攻勢に利用されることになる。その間、赤軍が首尾良くルーマニアに進撃すると、八月末にはルーマニアが連合国側に寝返った。このためソ連のブルガリア占領とハンガリーへの攻勢開始が容易になった。ハンガリーは、戦争から抜ける方法を探そうと試みたために、一九四四年三月にドイツ軍に占領されていた。これにより、ドイツ軍は一時的にハンガリーの一大ユダヤ人共同体の大多数を殺害する機会を得たが、その後ハンガリーを赤軍から防衛するよう努めなければならなかった。

3 ヨーロッパ 一九四四~四五年冬

一二月半ば、ドイツはアルデンヌの米軍に対して最後の予備軍を投入した。重要な港湾都市であるアントウェルペンを奪還し、大敗北の衝撃により銃後を崩壊させて米国をヨーロッパの戦争から脱落させ、イギリスも同様に脱落させる。それによって東部戦線に投入するための大軍を西部戦線から解き放つことを期待していたのである。のちにバルジの戦いとして知られることになるこの攻勢は米軍を驚かし、一時的に後退させたが、米軍が持ちこたえてドイツ軍が多数の兵士と兵器を失うと、ドイツ側の大敗北となった。二月には、西側連合国が大規模な攻勢を再開した。ドイツはライン川左岸に軍を投入してその大半を失っていたため、連合国は最後の潜在的な障壁、ライン川を直ちに渡河してドイツに突入した。

ソ連は前線中央部とハンガリーにおける攻勢を一月に再開した。ソ連はドイツとオーストリアに侵入し、両国ではドイツ軍の反攻に遭ったが、四月にベルリンを包囲するとともに同市南方のトルガウで米軍と合流した。イタリア国内のドイツ軍は五月初めに降伏した。ヒトラーの自殺を受けて四月三〇日にあとを継いだデーニッツ海軍元帥は、五月八日に全般的な無条件降伏を命令した。ごくわずかな例外を除けば、ドイツの陸海空軍部隊はすべてこの降伏指令に従った。

4 東アジアおよび太平洋における連合国の攻勢

東アジアと太平洋における戦争で、イギリスはビルマ再征服を完了し、一九四五年九月に予定されたマラヤ海岸部への上陸（ジッパー作戦）を準備していた。マリアナ諸島とニューギニア北西海岸、モロタイ島、パラオ諸島への米軍の上陸成功は、一九四四年一〇月のフィリピン中部のレイテ島上陸への道を開いた（地図14参照）。レイテ島ではその後長期にわたる激戦が展開した。また日本が米軍上陸の阻止と、上陸を支援する米海軍部隊の撃破を必死に試みたため、同島周辺では大規模な海戦が発生した。増援を受けた日本軍により遅延したが、米軍はレイテ島を奪還した。しかし、予定されていたルソン島侵攻の支援に必要な飛行場を建設するには適していないことが判明したため、一二月半ばにミンドロ島に上陸しなければならなかった。レイテ沖海戦は米国の大勝利に終わった。米国の護衛空母と駆逐艦の並外れた勇敢さに加えて、日本海軍司令官・栗田健男海軍中将による状況判断の誤り――自艦隊が米国主力艦隊と対峙していると考えた――が、上陸部隊を掩護せずに日本の囮艦隊を追撃するという、ウィリアム・ハルゼー海軍大将の決断の誤りを相殺したのである。きわめて皮肉なことに、レイテ沖海戦のうちスリガオ海峡での戦闘に参加した米国の戦艦のほとんどは、日本が一九四一年一二月七日に真珠湾で「撃沈」したと思い込み、実際には引き揚げられて修理され、戦線に復帰した戦艦であった。

北のルソン島への米軍侵攻は一九四五年一月に始まり、激しい戦いののち、マニラが解放された。一九四五年三月、日本軍はマニラで数千人の民間人を殺害、レイプした。一九四二年二月のシンガポールでの虐殺の再演であり、司令官は同じく山下奉文陸軍大将［シンガポール侵攻当時は中将］であった。大軍を率いていた山下は、日本が降伏するまでルソン島北部の一部を固守し続けた。米国はその間にフィリピン中部と南部のそれ以外の諸島で一連の上陸を敢行した。

日本軍がカミカゼと呼ばれる特攻機を導入したのは、フィリピン戦役の最中である。特攻機は米国艦への突撃を試みて、その多くに大きな損害を与えた。その後、より大型の航空機に懸下して投下地点まで運ばれる小型特攻機［桜花］が運用されたが、ずっと効果が低かった。日本は特攻潜水艦（回天）やその他の特攻艇も開発し何度も用いたが、やはりほとんど戦果を上げなかった。先に述べた風船爆弾――カナダおよび米国の西部の森や都市を焼き討ちすることを目的として、数千個が太平洋を横断して送られた――の運用は、全参戦国のなかで最も破壊的な構想であったが、実際には最も影響が小さかった。

一九四五年二月には、米海兵隊が小笠原諸島の硫黄島に上陸した。同諸島はフィリピンと日本列

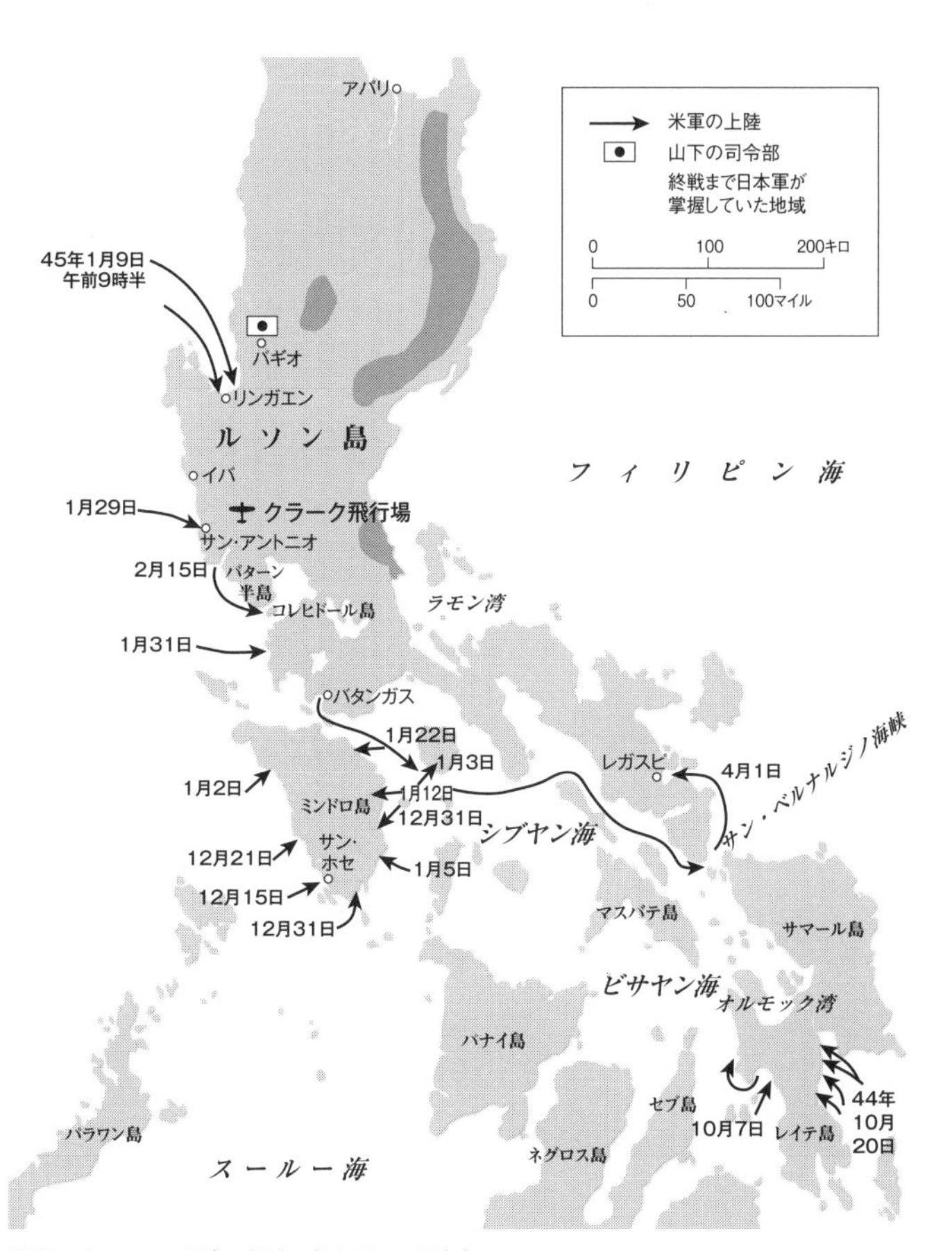

地図 14　フィリピン侵攻（1944 ～ 45年）

島の間に位置し、日本軍の飛行場が複数存在した。激しく被害の大きな戦いの末に、この島は米国の支配下に置かれた。米軍は計画されていた日本列島への侵攻に備えて大規模な基地を確保するために新たに軍を編成し、一九四五年四月一日、琉球諸島の最大の島、沖縄本島に上陸した（地図15参照）。この時までに、イギリスは太平洋戦争において重要な役割を果たせるようになっており、米陸海軍にとって対日戦争最大の激戦となった沖縄の戦いの掩護艦隊に艦船を提供している。主として沖縄南部で戦われた戦闘は三ヵ月以上続いたが、最終的に本島全土が征服された。もっとも実際には、重要な飛行場は開戦から数日で奪取されている。

沖縄で戦闘が続く間、米豪両軍はオランダ領東インドにおいて、日本が征服した島々を守備する日本軍に対する作戦を開始した。一九四五年五月から七月にかけて行われたボルネオ島への一連の上陸により、重要な油田を含めて同島の大半が征服され、九月にはジャワ島への上陸が計画されていた。九月に降伏するまで、相当規模の日本軍が東インドの各地にとどまっていたのである。

5　日本の最終的な敗北

対日戦を終わらせるために計画された「ダウンフォール作戦」は、「コロネット作戦」（一九四六年三月実施予定の東京湾およびその付近への上陸作戦）と、同作戦のための基地を獲得する「オリンピック作戦」（一九四五年一一月実施予定の九州上陸作戦）に分かれていた。いずれの作戦も先陣を切るのは米軍で、「コロネット作戦」にはイギリス連邦とフランスの師団があとから投入されることに

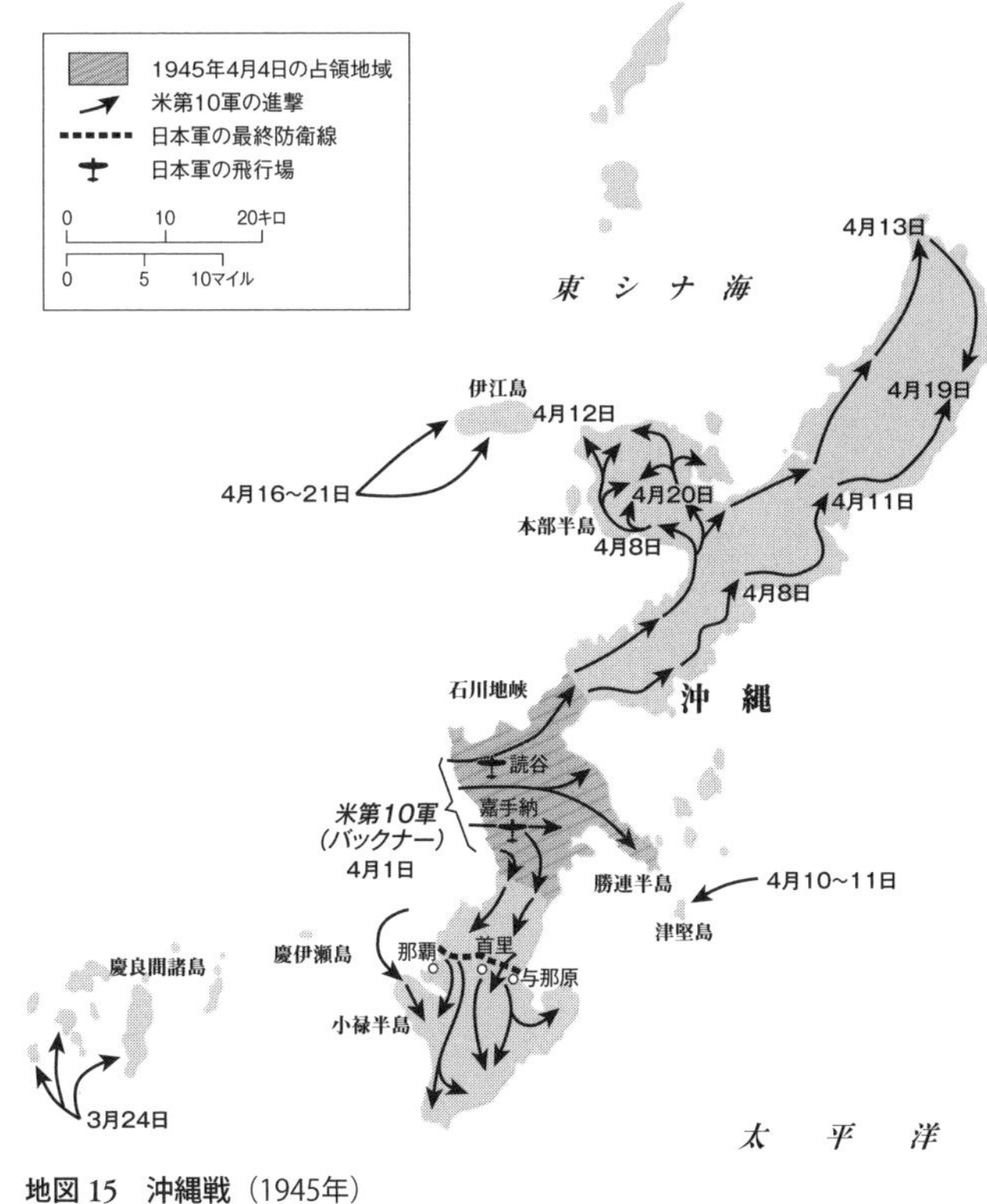

地図15　沖縄戦（1945年）

なっていた。中国と台湾からの攻撃は、日本の「一号」攻勢によってその見込みがなくなっていたが、ソ連赤軍に対しては、満洲および朝鮮、中国の日本軍を攻撃して足止めするだけでなく、北から日本列島を攻撃し、爆撃することが期待されていた。ただ大きな懸念があった。日本列島を占領したのち、東アジアと東南アジア、そして太平洋の諸島やその一部に存在する一〇〇万人以上を数える日本兵士が死ぬまで戦い続け、連合国が「ポスト・コロネット作戦」を実行しなければならなくなるかもしれないということである。ヨーロッパや北アフリカでの戦闘と異なり、日本軍との戦闘では、日本兵はごく少数しか降伏せず――降伏者のほとんどは負傷者か、実は強制的に徴兵された現地住民であった――、スターリングラードやチュニジアで見られたように部隊ごと降伏することはなかった。

連合国は一九四五年七月にポツダムから日本政府に降伏を呼びかけた。このタイミングと場所は慎重に選ばれていた。このポツダム宣言および日本外交官の降伏受諾の助言――米国は解読された傍受情報からその内容を知っていた――は、日本政府の最高戦争指導会議で「満場一致で否決」された。この時、米国のハリー・トルーマン大統領はヘンリー・スティムソン陸軍長官と意見が一致して、また英ソ両政府との事前合意に基づいて、日本を降伏に追い込む衝撃を与えるべく、新たに利用可能になった原子爆弾を使用することを決めた。原子爆弾の開発はもともとドイツとの競争とみなされていたが、西側諸国は、ドイツ軍が開発に成功していないと結論づけてからも、開発に向けた研究を続行していた。米国は原子爆弾を「オリンピック作戦」の支援に使用することを計画しており、日本の都市に一つ、必要なら二つ目を投下することを決定した。それでも日本が降伏しない場合は、以降に完成した原子爆弾を「オリンピック作戦」用にとっておくつもりであった。

日本政府は降伏を勧告するポツダム宣言を拒否しただけでなく、連合国による本土侵攻――その場所について日本は正しく予想していた――に対する防衛計画に合意した。二〇〇〇万人の死傷者が出ようとも厭わない日本の意志が連合国に降伏要求を思いとどまらせると考えていたのである。日本政府は、戦争を交渉で終わらせるためにソ連の口添えを得るか、もしくはソ連を寝返らせようと試みたが、いずれも失敗した。日本の主要都市の大半は主としてマリアナ諸島から飛来する米軍機の大規模な空襲によって破壊され、とりわけ東京では夥しい死傷者が出たが、日本政府の指導者たちはそれでも動揺しなかった。しかし、二つ目の原子爆弾が投下されると、最高戦争指導会議の意見は分かれた。会議出席者のうち半数は、それまで何百機という航空機が何千発もの爆弾を投下しなければ達成できなかった戦果を、今や一機の航空機が一発の爆弾を投下するだけで達成できるという事実を痛感し、連合国が今や日本列島の全国民ないしそのほとんどすべての命を奪うことができる、しかも［自軍にも大量の死傷者を出して］侵攻する必要がないと結論づけた。したがって、彼らは降伏を選んで防衛計画を放棄した。こうした状況下で、昭和天皇はおそらく起こりうる国内の動乱と太平洋戦争へのソ連の参戦を懸念する助言者に影響されて、御前会議の場で降伏を直接命令した。

戦闘の継続を望む一派は、クーデターを試みた。阿南惟幾陸軍大臣が戦闘を求める自身の希望と天皇への忠誠との間で板挟みになり、クーデターに参加することなく自殺すると、このクーデターは失敗した。連合国は日本が無条件降伏しやすいように、天皇制は連合国の管理下に入るが、日本が望むなら天皇制を維持することができると宣言した。またイギリスの提案を受けて、天皇の代わりに指定された高官が降伏文書に調印するのを許可した。一方、昭和天皇は、各地で降伏を要求するために、戦場の日本軍司令官のもとに皇族を含む特使を派遣した。「ポスト・コロネット作戦」は実行されず、日本が複数の占領区に分割されたり、東京も複数区域に分割されたりはしなかった。米軍とイギリス連邦軍が日本を占領したが、日本の政府と行政は日本人に委ねられたままで、連合国軍最高司令官（SCAP）マッカーサー陸軍元帥の指令により指導され、改革された。ごく少数の日本兵士が一九七〇年代まで抵抗を続けたが、全般的に天皇の降伏命令は遵守された。

結論

史上最大の戦争が終結するまでに、約六〇〇〇万人が殺され、その大半は民間人であった。大戦中最大となる二五〇〇万人以上の死者を出したのはソ連で、中国では少なくとも一五〇〇万人が殺された。その他の国々でも大きな損失があったが、ポーランド以上に破壊され、小突き回され、略奪され、多数の死者を出した国はなかった。ヨーロッパと東アジア、東南アジアの大半で、また北アフリカの一部では、広範な破壊と経済の混乱が顕著にみられた。ドイツの弾道ミサイルV―2や米国の原子爆弾のような新兵器の登場は、将来、大国間で戦争が起きれば地球上の人類の滅亡をもたらしかねないということを示唆していた。

戦争とその終結は、膨大な人口移動も引き起こした。数百万人の戦争捕虜と強制労働者は故郷へ戻るのに苦労したが、たいてい数年がかりで帰郷することができた。他方、東ヨーロッパ出身者の一部はソ連の支配下となった国々に戻ることを望まなかった。ポーランド出身のユダヤ人生存者は自分たちの帰国が望まれていないうえに危険であると知り、イギリスが移民を制限しようと試みていたパレスチナへの移住を望んだ。さらには数百万人のヨーロッパ人が、勝者によって引かれた新たな国境線によって強制退去させられた。ドイツは一九一九年のヴェルサイユ会議［パリ講和会議］での国境線を調整する取り組みを絶えず糾弾し、その代わりに国境線に合わせて住民を調整する原則を主張してきたため、この措置がドイツに適用された。短期間のうちに過去最大の人口移動が行われ、約一二〇〇万人のドイツ人が、旧ドイツ東部領土、チェコスロヴァキア、ポーランド、東欧および南東ヨーロッパ諸国にあった家を失った。イタリアは植民地帝国を失い、ユーゴスラヴィアに一部領土を割譲した。日本の海外帝国に住んでいた数百万人の日本人は日本列島に戻った。日本は降伏後も一体性を維持した。ドイツとオーストリアおよびその首都のように、複数の占領地域に分割されたり、首都が複数の区域に分割されたりすることはなかった。ただし、北海道の北東沖合に点在する小さな島々［択捉島、国後島、色丹島、歯舞群島］だけはソ連によって併合され、各島の住民は追い出された。この問題は二一世紀に入っても両国間の平和条約の調印を妨げている。

　連合国は、自分たちが裁判にかけて処罰すると約束した戦争犯罪人にどう対処するかという問題に直面した。この時、司法の裁きを恐れる理由がある者の多くは、身を隠したり、別人になりすましたり、ヴァチカンの支援を受けて南米に逃れたりするために手を尽くした。新たに解放された諸国は、広範な再建の問題だけでなく、占領軍に協力していた者たちにどう対処するかという問題にも直面した。敗戦国のほとんどは賠償金を支払わなければならなかった。皮肉なことに、第二次世界大戦の結果として一部領土を失い、甚大な被害を被ったドイツが支払った賠償金は、第一次世界大戦後のドイツ——第二次世界大戦より大きな領土を維持し、国土はほぼ無傷だった——が負担した賠償金と比べてはるかに高額であった。戦争努力によって、新たな破壊兵器の開発や性能の向上に加えて、医療分野における新たな発展だけでなく、航空輸送の手段としてジェットエンジンがもたらされた。このジェットエンジンは戦後の旅行を一変させることになった。

勝利は膨大な犠牲を伴ったが、今から考えれば、連合国が勝利しなかった時に世界が直面したであろう状況は、その犠牲を必然とするほどに恐ろしいものであった。ドイツがユダヤ人とロマ人に対して適用した虐殺政策は、膨大な数の人々のいっそう広範な計画的殺害と餓死、強制断種を予示していた。最終的な計画は、いわゆるアーリア人だけが自らを至高の存在とする地球に住むべきであるというものであった。その一方で、この戦争は同時に脱植民地化のプロセスを加速した。このプロセスは参戦した植民地帝国だけでなく、中立国のスペインとポルトガルも巻き込んだ。ソ連住民の大半の目には、この戦争によってソ連がある種の正統性を新たに獲得したように映ったのは事実だが、この印象は時が経つとともに薄れてゆく。史上最大の戦争から以前とは異なる世界が現れ、この戦争はその性質によって、またとくにその結末により、それ以後非常に慎重になるべきだということを皆に警告していた。

訳者解説

本書はGerhard L. Weinberg, *World War II: A Very Short Introduction* (Oxford: Oxford University Press, 2014) の全訳である。なお、訳者が気づいた原書の誤記・誤植については、著者と相談の上で修正している。訳者追記は本文中に［　］内に記し、また小見出しを加えた箇所がある。

二〇二〇年は第二次世界大戦の終戦七五周年である。改めて指摘するまでもなく、この世界戦争は史上最大の戦争であった。約六〇〇〇万人という死者数（統計によっては七〇〇〇万人以上）や、戦火の及んだ地理的範囲は、それまでの戦争とは比べものにならない。第二次世界大戦は各地に大きな爪痕を残し、その負の遺産は今でも折に触れて世界中で鎌首をもたげている。「過ぎ去ろうとしない過去」と言われる所以（ゆえん）である。

欧米では、冷戦終結後に史料公開が進むにつれて第二次世界大戦をめぐる研究が活況を呈し、これまでの通説的な理解を覆す新研究も登場している。終戦五〇周年以降、節目の年が訪れるたびに、研究者によってそれぞれ特色ある第二次世界大戦の通史がいくつも出版されているのはこのためである。

日本も枢軸国の一員としてこの史上最大の戦争に参戦したわけであるが、日本ではより地域を限定した「太平洋戦争」ないし「アジア・太平洋戦争」という枠組みで語られることが多いようである。[*1]日本の視点からすれば、一九三一年の満洲事変、ないし一九三七年の盧溝橋事件を発端とする日中戦争以来、アジアにおいて戦争状態にあったのであるから、これ自体は当然のことである。

ところが、アジア・太平洋地域における戦争に関心が集中する弊害として、ヨーロッパにおける戦争を含めた、世界規模の戦争としての第二次世界大戦に関する欧米の軍事史研究の進展が日本で十分に紹介されているとは言い難い状況にある。これは本書の推奨文献リストに挙げられている著作がほとんど邦訳されていないことにも現れている。こうした問題は必ずしも第二次世界大戦史に限られるものではない。日本の学界でも最近は軍隊の社会史に代表される「新しい軍事史」ないし広義の軍事史への関心が高まっているが、戦史や狭義の軍事史を専門とする研究者は少ないため、これらの分野では欧米における軍事史研究の進展とのギャップが広がりつつある。[*2]

ここに訳出した『第二次世界大戦』は、アントニー・ビーヴァー／平賀秀明訳『第二次世界大戦一九三九〜四五』（全三巻、白水社、二〇一五年）およびH・P・ウィルモット／等松春夫監訳『大いなる聖戦――第二次世界大戦全史』（全二巻、国書刊行会、二〇一八年）と並んで、最新の知見に基づく包括的な概説を提示しており、この研究のギャップを埋める一助となるであろう。

著者のゲアハード・L・ワインバーグは外交史および軍事史の専門家であり、一九九四年にはグローバルな視点から第二次世界大戦を包括的に叙述する通史（『戦う世界』——後述）を刊行している。一二〇〇頁近いこの通史は専門家に高く評価され、すでに古典としての地位を確立したといってよい。オックスフォード大学出版局の Very Short Introductions（VSI）シリーズの『第二次世界大戦』は、この大著をもとにしつつ、最近の研究も踏まえた初学者向けの入門書として書かれており、欧米における第二次世界大戦史研究の現状に触れるのに最適である。なお、ワインバーグは外交史の大家として日本でも以前から知られているが、邦訳書としてはこれが最初となる。[*3]

著者について

ここで著者の個人史をやや詳細に辿っておきたい。[*4] ナチ期ドイツから亡命したユダヤ系米国人という著者自身の経歴が、その研究テーマや視角にも大きく影響を及ぼしているためである。

ゲアハード・L・ワインバーグは、一九二八年にドイツのハノーファーでユダヤ系の家庭に生まれた。兄と姉がいる。父はミュンスター大学法学博士で、一時は裁判官を務め、第一次世界大戦では陸軍兵士として従軍し、負傷して叙勲された。戦後は新たに設立された連邦財務省に移り、ハノーファーの地方事務所に勤務していた。

一九三三年にナチ党が政権を握り、一家はナチ政権下での生活を経験する。従軍経験のある父は仕事を続けることを許されていたが、一九三四年秋にヴァイマル共和国大統領パウル・フォン・ヒンデンブルクが死ぬと公職追放の対象となった。以後、自宅で海外移住に関する司法手続きの助言を行って生計を立てた。

父の公職追放後、学校に通いはじめたワインバーグは人種差別的ないじめを受け、兄はいじめが酷すぎてベルリンのユダヤ人学校に通うことになった。最初の数年間はそれでもクエーカー教徒の教師がいじめを抑えようとしてくれたが、この教師が首になると殴る蹴るの暴行が悪化した。そのほかにもさまざまなユダヤ人差別を経験し、一家は移住を考えはじめる。一家は世紀転換期に米国に移民して冶金技師として大成功を納めた母方の叔父を頼って米国への移民を申請し、ワインバーグは移住に備えて地元に住むイギリス人姉妹から英語を学びはじめた。

一九三八年一一月の「水晶の夜(クリスタルナハト)」(反ユダヤ主義暴動)では、通っていたシナゴーグが焼き討ちにあい、その数日後には自身もギムナジウム(大学進学希望者向けの学校)から追放された。父が逮捕され、警察署で拘留されたが、連邦財務省の元上司が掛け合って、収容所に送られる前に釈放させた。父方の叔父も収容所に送られ、数ヵ月後に移住を条件に解放されてイギリスに向かった。[*5]「水晶の夜」の数週間後に三人の子供たちもイギリスに送られ、両親は一九三九年春にドイツを離れることになる。

ワインバーグは兄とともにイギリス南岸部のスワネッジの寄宿学校(ボーディング・スクール)に通い、ここで将来は教師になることを決意する。両親と姉も近くのボーンマスに住んでいたが、イギリス政府がスパイへの懸念を強めると、父は一九四〇年五~六月頃に抑留され、母と姉も海岸近くに住むことを禁じられてロンドンに移った。一九四〇年七月に英本土航空戦(バトル・オブ・ブリテン)が始まり、ワインバーグの通う学校も爆撃を受ける。同月、米国への移民枠が確保できて移民準備のためにロンドンに移った際には、夜間の大空襲(ブリッツ)も経験した。一家は米国行きの船に乗るためにグラスゴーに向かい、そこで父と再会した。

一九四〇年九月、ワインバーグ一家は米国に到着した。同年一二月にはニューヨーク州オールバニに定住する。翌年一二月七日、ワインバーグは友人とチェスをしている際に、ラジオで日米開戦を知った。一歳半年上の兄が先に徴兵され、オリンピック作戦で九州に侵攻する部隊に配属されていたが、日本の降伏で難を逃れた。自身は一九四六年に徴兵されて陸軍に入隊し、占領軍として日本に派遣された。横須賀に陸軍兵士向けの学校があることを知り、徴兵前からニューヨーク州立教員養成カレッジ・オールバニ校（現在のニューヨーク州立大学オールバニ校）で学んでいた経歴を活かして教師に志願し、陸軍兵士に米国史や読み書きを教えた。

一九四七年に徴兵制が撤廃されるとワインバーグは除隊し、同年秋からもとのカレッジに復帰した。一九四四年に入学してから徴兵されるまでに速習プログラムを受け、横須賀の学校でも単位を取得していたために、復帰後の一学期で卒業単位が揃う。復員軍人援護法の恩恵を受けて、一九四八年秋にシカゴ大学大学院に入学し、亡命ユダヤ人のハンス・ロートフェルスを指導教官として、一九五一年に「一九三九〜四一年の独ソ関係」をテーマに博士号を取得した。

シカゴ大学大学院では博論に利用することになるニュルンベルク裁判資料の整理を行い、この際に指導教官に勧められて執筆した、『ドイツ外交史料集』（*Documents on German Foreign Policy, 1918-1945*）の批判[*6]がきっかけとなって、ドイツ押収史料の整理プロジェクトに誘われることになる。ワインバーグは、ヴァージニア州アレクサンドリアのポトマック河畔にある旧魚雷工場において、三年間にわたって押収史料の整理に明け暮れた。また空軍の予算でソ連パルチザンを研究することになり、対反乱作戦におけるエア・パワー利用と、ドイツが唯一成功した対反乱作戦の分析を担当した。

一九五四年にはプロジェクトを離れて教職につくが、その二年後には総括責任者としてドイツへの史料返還に先立つマイクロ化の方針を策定した。一九五七年に再び教職に戻るが、その翌年夏にプロジェクトを手伝う過程で、『我が闘争』の続編の未刊行原稿を発見した。本書はまずドイツ語版が一九六一年、英語版が二〇〇三年に刊行され、日本語版も二〇〇四年に『ヒトラー第二の書――自身が刊行を禁じた「続・わが闘争」』（成甲書房）と『続・わが闘争――生存圏と領土問題』（角川書店）として出版されている。

ワインバーグは一九五〇年代後半から第二次世界大戦の起源に関する研究を始め、一九七〇年と一九八〇年にそれぞれ『ヒトラー率いるドイツの対外政策――ヨーロッパの外交革命、一九三三～三六年』（*The Foreign Policy of Hitler's Germany: Diplomatic Revolution in Europe, 1933-36*）と『ヒトラー率いるドイツの対外政策――第二次世界大戦を始める、一九三七～三九年』（*The Foreign Policy of Hitler's Germany: Starting World War II, 1937-1939*）を出版した。二〇〇五年には、『ヒトラーの対外政策、一九三三～三九年――第二次世界大戦への道』（*Hitler's Foreign Policy, 1933-1939: The Road to World War II*）と改題された合冊版が出ている。

一九七八年に戦争の起源に関する研究に区切りを付けると、次は第二次世界大戦の通史に取りかかった。これが一九九四年に初版、二〇〇五年に第二版が刊行された主著、『戦う世界――第二次世界大戦のグローバル・ヒストリー』（*A World at Arms: A Global History of World War II*）である。さらに二〇〇五年には、第二次世界大戦を戦った各国指導者のヴィジョンに焦点を当てて、『勝利のヴィジョン――第二次世界大戦の指導者八人の願望』（*Visions of Victory: The Hopes of Eight World War II Leaders*）を出版している。

　二〇一四年にVSIシリーズの『第二次世界大戦』を刊行したのちも、専門分野における研究の進展を追いながら、自伝の執筆および『戦う世界』の改訂作業を進めているようである。

『第二次世界大戦』の特徴

　『第二次世界大戦』の特徴を紹介するには、まずワインバーグが本書のもととなる『戦う世界』を執筆した理由に触れるのがよいであろう。著者は一九七八年時点での研究に対して以下に挙げる四つの不満を持っており、そのために自ら第二次世界大戦の通史を執筆することを決意した。一、ヨーロッパにおける戦争と太平洋における戦争というように、他の研究者が地域を切り離して見ているということ。二、とくに英米の歴史家が英語で出版されたドイツ軍人の回想録に大幅に依拠しているということ。三、ヒトラーがユダヤ人根絶を中心とする「人口革命（デモグラフィック・レボリューション）」という目的をもって戦争を始めたにもかかわらず、そのことがほとんどの著作では無視されているということ。四、一九七〇年代初頭から半ばにかけて史料公開が進んだにもかかわらず、多くの研究者は史料を見ようとしなかったということ。[*7] したがって、著者は大量の史料を掘り起こし、また縦横に駆使して、グローバルな視点から各国の選択を有機的に結びつけ、戦争の背景にある指導者たちの意図に切り込んでいった。

　著者のアプローチは古典的なものであり、外交史や戦略・作戦次元の軍事史の議論が中心となる。決して近年関心が集まる兵士目線のアプローチではないが、一巻の通史としては包括的である。時系列で幅広く事実をただ列挙するのではなく、各国の選択や各戦線の推移が相互に結びついていることを示しており、皮肉と独特なユーモアの効いた洞察が随所に散りばめられている。第二次世界大戦の人種戦争としての側面を重視し、ホロコーストや銃後の社会への視線も忘れてはいない。また、地図がふんだんに収録されていることも『第二次世界大戦』の特徴である。作戦次元の動きが表現された詳細な地図は、本文の記述を補完するものとして有益であろう。なお、二〇一四年に刊行された『第二次世界大戦』の叙述は『戦う世界』をもとにしているが、当然ながら過去二〇年の研究の進展を踏まえてアップデートされている。[*8]

本書を研究史上に位置づけるにあたっては、ナチズム研究の大きな研究動向に言及する必要がある。ナチズム・ホロコースト研究は、一九六〇年代までの「意図派」の時代、一九八〇年代までの「機能派」の時代、そして一九九〇年代以降の新潮流を経て、近年は総括段階に入りつつあるとされるが、[*9]この重要な論争は対外政策をめぐる問題にも影響を及ぼしている。すなわち、ヒトラーの意図やイデオロギーがナチの対外政策を形作ったのか（意図派・プログラム派）、それともナチの対外政策には当初明瞭な目的がなく、紆余曲折を経て先鋭化していったのか（機能派・構造派）という論争である。ワインバーグはヒトラーやナチのイデオロギーを重視する点で明らかに意図派に属しているが、決してヒトラー個人の思想が上意下達で実現されたわけではなく、ナチ政権内の分裂や対立、組織の混乱、地域的な多様性の存在を認めていることも忘れてはならない。[*10]

七〇年以上にわたる研究人生のなかで、ワインバーグはナチ・ドイツの対外政策に関するさまざまな研究上の論争にかかわってきた。たとえば、ソ連侵攻は予防戦争だったという主張や、西側諸国によって戦争に追い込まれたという主張、ヒトラーやナチのイデオロギーを抜きにしてドイツの対外政策を分析しようとする試みに対しては、きわめて批判的である。また、ヒトラーがかなり初期からユダヤ人絶滅政策や対英米戦争を意図していたという立場をとるのも特徴であろう。本書は入門書ではあるが、著者の歴史観が本書を貫いており、まさに著者の研究の集大成といっても過言ではない。

ただし、入門書という性格からやむを得ないことではあるが、本書の叙述は非常にコンパクトで、著者独自の議論であっても論拠が逐一示されるわけではない。本書で簡単に触れられている事柄の詳細や議論の根拠を知りたい場合には、過去の著作、とくに『戦う世界』や『ヒトラーの対外政策』、『勝利のヴィジョン』を参照されたい。

簡単な邦語文献案内

最後に、二〇〇〇年以降の出版物を中心に、初学者向けの簡単な邦語文献案内を付しておきたい。すでに触れたように、第二次世界大戦の通史としてアントニー・ビーヴァー『第二次世界大戦』とH・P・ウィルモット『大いなる聖戦』の邦訳が最近刊行された。ビーヴァーは兵士や庶民の次元まで降りていく詳細な叙述を売りとする戦史ノンフィクション作家であり、一国の指導者から一介の兵士までさまざまな人々の生の言葉を通じて第二次世界大戦の実態を鮮明に描き出す。邦訳は全三巻、合計一五〇〇頁以上の大作だが、読みはじめれば興味深いエピソードの連続にすぐ引き込まれるはずである。ウィルモット『大いなる聖戦』は各国の戦略やドクトリンに焦点を絞っており、偉人論（グレート・マン・セオリー）（偉人や英雄などの個人が歴史を動かすという歴史観）を排して、戦争を複数の戦争機構の間の衝突ととらえる。ウィルモットは第二次世界大戦の起源を一九三一年の満洲事変に見出し、東部戦線に比重を置くのが特徴である。

なお、コンパクトにまとめられた本書では、どうしても海の戦いの扱いが小さくなるのはやむを得ないことであろう。邦語文献ではないが、海戦を中心とした視点から第二次世界大戦の全体像を描く通史として、最近刊行されたCraig L. Symonds, *World War II at Sea: A Global History* (Oxford University Press, 2018) の評価が高い。ジェレミー・ブラック／矢吹啓訳『海戦の世界史——技術・資源・地政学からみる戦争と戦略』（中央公論新社、二〇一九年）第六章も、ヨーロッパおよびアジア・太平洋における海戦を包括的に扱っている。

日本人研究者による著作もいくつか紹介しておこう。木畑洋一『第二次世界大戦——現代世界への転換点』（吉川弘文館、二〇〇一年）は、アジアとヨーロッパの両方に目配せしつつ重要な問題をバランスよく扱っており、コンパクトにまとまっていて読みやすい。同著者の『二〇世紀の歴史』（岩波新書、二〇一四年）も必読である。第二次世界大戦の軍事史としては、大木毅氏によるドイツ軍事史の著作や評伝（『独ソ戦——絶滅戦争の惨禍』〔岩波新書、二〇一九年〕、『「砂漠の狐」ロンメル——ヒトラーの将軍の栄光と悲惨』〔角川新書、二〇一九年〕、ほかに作品社から論集が三冊刊行されている）がいわゆる戦記ものとは一線を画し、欧米の研究動向を十分に踏まえており定評がある。ドイツ以外の欧米諸国でも軍事史研究が盛んであるが、ヨーロッパ戦域を対象とする戦史研究に関するかぎり、日本では大木氏が一人気を吐く状況のようである。

第二次世界大戦を理解する上で重要なナチズムとホロコーストについては、とくに芝健介『ホロコースト――ナチスによるユダヤ人大量殺戮の全貌』（中公新書、二〇〇八年）および石田勇治『ヒトラーとナチ・ドイツ』（講談社現代新書、二〇一五年）が、信頼できる手頃な概説書である。後者は参考文献・図書案内も充実している。また、リチャード・ベッセル／大山晶訳『ナチスの戦争、一九一八～一九四九――民族と人種の戦い』（中公新書、二〇一五年）は、ナチズムと戦争の関わりに焦点を当てている。

アジア・太平洋戦争に関する最近の通史としては、吉田裕・森茂樹『アジア・太平洋戦争』（吉川弘文館、二〇〇七年）や吉田裕『アジア・太平洋戦争――シリーズ日本近現代史⑥』（岩波新書、二〇〇七年）があるが、前者は初学者向けにとくに平易に書かれている。アジア・太平洋戦争における戦場の凄惨な実相、兵士たちが直面した過酷な現実に迫る、吉田裕『日本軍兵士――アジア・太平洋戦争の現実』（中公新書、二〇一七年）も勧めたい。また、小谷賢『日英インテリジェンス戦史――チャーチルと太平洋戦争』（ハヤカワNF文庫、二〇一九年）は、情報史に関する実証的な研究として優れている。

このほか、やや専門的になるが、アジア・太平洋戦争の個別の論点をめぐる研究の現状を俯瞰するためには、『岩波講座 アジア・太平洋戦争』（全八巻、岩波書店、二〇〇五～〇六年）や筒井清忠編『昭和史講義』シリーズ（ちくま新書、二〇一五年～）に収録されている各論考が役立つ。また、『岩波講座 東アジア近現代通史⑥ アジア太平洋戦争と「大東亜共栄圏」一九三五～一九四五年』（岩波書店、二〇一一年）は一国史をこえた東アジア地域史の視座に立ち、日本の支配下にあった各国の視点が盛り込まれている。

謝辞

お茶の水女子大学大学院博士後期課程院生の小風綾乃氏には、原稿の素読みをしていただいた。東京電機大学の中島浩貴氏には、原稿に目を通していただき、ドイツ史に関わる訳語等について多数のご指摘をいただいた。東京大学の鈴木多聞氏には、日本史学分野での関連文献についてご教示いただいた。創元社の堂本誠二氏には、可読性を高めるために細部にわたって手を入れていただいた。この場を借りて各氏に御礼申し上げたい。最後に、東京大学名誉教授の木村靖二氏にも感謝したい。学部生だった頃に講義やゼミに出席し、匕首(あいくち)伝説、ナチズムを理解するいくつかの枠組み、歴史家論争、ホロコーストなど、本書に関わる重要なテーマをご教授いただいた。当時学んだことを本書の翻訳に少しでも反映できていれば幸いである。

二〇二〇年一月

矢吹　啓

［注］

＊1 戦争をどう呼称するかは、戦争の性格の解釈にもかかわる重要な問題である。この問題については、たとえば庄司潤一郎「日本における戦争呼称に関する問題の一考察」『防衛研究所紀要』第一三巻、第三号（二〇一一年三月）、四三〜八〇頁や安井三吉「〈研究ノート〉『十五年戦争』と『アジア太平洋戦争』の呼称の創出とその展開について」『現代中国研究』第三七号（二〇一六年五月）、八一〜九九頁を参照。

＊2 英語圏の軍事史研究の現状については、たとえばMatthew Hughes and William J. Philpott, eds., *Palgrave Advances in Modern Military History* (Baingstoke: Palgrave Macmillan, 2006); Stephen Morillo and Michael F. Pavkovic, *What is Military History?* (Medford, MA: Polity Press, 2017, 3rd ed.) を参照せよ。またドイツ軍事史研究については、トーマス・キューネ&ベンヤミン・ツィーマン編著／中島浩貴ほか訳『軍事史とは何か』（原書房、二〇一七年）がある。

＊3 論文の邦訳としては、ゲルハルト・L・ワインバーグ／立川京一訳「太平洋の戦いとヨーロッパの戦い」『戦史研究年報』第一号（一九九八年三月）、四八〜五六頁とガーハード・L・ワインバーグ／戸谷美苗訳「第二次世界大戦」コリン・エルマン&ミリアム・フェンディアス・エルマン編／渡辺昭夫監訳『国際関係研究へのアプローチ――歴史学と政治学の対話』（東京大学出版会、二〇〇三年）、一四六〜一五七頁、ジェラード・L・ワインバーグ「ヒトラーの役割」ハロルド・C・ドィッチュ&デニス・E・ショウォルター編著／守屋純訳『ヒトラーが勝利する世界――歴史家たちが検証する第二次大戦・六〇の"IF"』（学習研究社、二〇〇六年）、四九五〜五三一頁がある。

＊4 著者の個人史については、米ホロコースト記念博物館による二〇一二年のインタビュー（'Oral history interview with Gerhard L. Weinberg,' RG-50.030.0724, https://collections.ushmm.org/search/catalog/irn74729）［Accessed March 8, 2019］およびロバート・H・ジャクソン・センターでの二〇一八年のインタビュー（'Gerhard Weinberg (2018) on his Life Path,' https://www.youtube.com/watch?v=DI4rSxqxVaw）［Accessed March 8, 2019］を参照している。

＊5 水晶の夜の経験については、Gerhard L. Weinberg, 'Kristallnacht 1938: As Experienced Then and Understood Now,' Monna and Otto Weinmann Annual Lecture, May 13, 2009, https://www.ushmm.org/m/pdfs/Publication_OP_2009-05-13.pdf［Accessed March 8, 2019］でも触れられている。

＊6 Gerhard L. Weinberg, 'Critical Note on the *Documents on German Foreign Policy, 1918-1945*,' *Journal of Modern History* 23:1 (March 1951): 38-40.

＊7 'Oral history interview with Gerhard L. Weinberg.'

＊8 最近の研究レビューおよび著者の洞察を示すものとして、Gerhard L. Weinberg, 'Some Myths of the World War II,' *Journal of Military History* 75:3 (July 2011): 701-718 も参照。

＊9 小野寺拓也「ナチズム研究の現在——経験史の視点から」『ゲシヒテ』第五号（二〇一二年三月）、三三～三五頁。

＊10 ナチ・ドイツの対外政策をめぐる研究動向については、Ian Kershaw, *The Nazi Dictatorship: Problems and Perspectives of Interpretation* (London: Bloomsbury Academic, 2015, 4th rev. ed.), Ch. 6 を参照。カーショーは、対外政策の分野では機能派（構造派）の挑戦にもかかわらず意図派の解釈が依然として有力であるとしつつ、両者ともにナチ体制の解釈に不可欠の要素であると指摘する。ヴォルフガング・ヴィッパーマン／林功三&柴田敬二訳『議論された過去——ナチズムに関する事実と論争』（未來社、二〇〇五年）も、ナチ・ドイツの対外政策に一章を割いている。

推奨文献リスト

戦争全体については、次の文献を参照。

Gerhard L. Weinberg, *A World at Arms: A Global History of World War II*, 2nd ed., New York, 2005.

戦争の起源については、本書著者とシュタイナーの文献を参照。

Gerhard L. Weinberg, *Hitler's Foreign Policy 1933–1939: The Road to World War II*, New York, 2005.

Zara Steiner, *The Triumph of the Dark: European International History 1933–1939*, Oxford, 2011.

戦争に関する研究は膨大にあるが、主要人物に関する非常に有益なガイドは次の文献に含まれている。

Mark M. Boatner III, *The Biographical Dictionary of World War II*, Novato, CA, 1996.

各戦役に関する読み物をここですべて列挙することはできないが、最初の戦役については次の文献を参照。

Alexander B. Rossino, *Hitler Strikes Poland: Blitzkrieg, Ideology, and Atrocity*, Lawrence, 2003.

フランスの崩壊については次の文献が検討している。

Ernest R. May, *Strange Victory: Hitler's Conquest of France*, New York, 2000.

また、英本土航空戦に関する新しい概説として次の文献がある。

Michael Korda, *With Wings Like Eagles: A History of the Battle of Britain*, New York, 2009.

ドイツのソ連侵攻とそれ以降の東部戦線での戦闘についてはロバート・チティーノ（Robert Citino）とデイヴィッド・グランツ（David Glantz）、デイヴィッド・ストーエル（David Stahel）、アール・ジームキー（Earl Ziemke）が多数の優れた著作を出している。

イタリアでの戦闘については、イギリスと米国の公式戦史が優れた概説を提供する。また、次の文献が必要な補遺を提供している。

Richard Lamb, *War in Italy 1943–1945: A Brutal Story*, New York, 1994.

イギリスの公式戦史は、北アフリカとイラク、シリアを含むすべての側面に加えて、イタリアでの作戦についても有益な説明を提供していることに注意すべきである。

The Mediterranean and Middle East, Vol. I–V, London, 1954–73.

一九四四〜四五年の西部戦線での戦闘については次の文献が導入となる。

Alan F. Wilt, *The Atlantic Wall 1941–1944*, New York, 2004.

これに続いて以下の文献を読むと良いであろう。

Carlo D'Este, *Decision in Normandy*, New York, 1994.

Theodore A. Wilson (ed.), *D-Day 1944*, Lawrence, 1994.

その後の戦闘については、以下の文献で読むことができる。

Ian Kershaw, *The End: The Defiance and Destruction of Hitler's Germany, 1944–45*, New York, 2011.

Stephen G. Fritz, *Endkampf: Soldiers, Civilians, and the Death of the Third Reich*, Lexington, 2004.

空での戦いでの両軍については、以下の文献が優れた入門書である。

Tami Davis Biddle, *Rhetoric and Reality in Air Warfare: The Evolution of British and American Ideas about Strategic Bombing, 1914–1945*, Princeton, 2002.

Edward D. Westermann, *Flak: German Anti-Aircraft Defenses, 1914–1945*, Lawrence, 2001.

また、海の戦いに関する以下の文献は補完しあう内容である。

Nathan Miller, *War at Sea: A Naval History of World War II*, New York, 1995.

Howard D. Grier, *Hitler/Dönitz and the Baltic Sea: The Third Reich's Last Hope, 1944–1945*, Annapolis, 2007.

ドイツの軍隊に関する入念な分析は以下の文献を参照。

Wolfram Wette, *The Wehrmacht: History, Myth, Reality*, trans. by Deborah Lucas Schneider, Cambridge, MA, 2006.

ドイツの軍司令官については次の文献が多くの洞察をもたらす。

Geoffrey Megargee, *Inside Hitler's High Command*, Lawrence, 2000.

また、第二次世界大戦におけるホロコーストについては次の文献が優れた序説である。

Donald M. McKale, *Hitler's Shadow War: The Holocaust and World War II*, New York, 2002.

ホロコーストがドイツの軍事作戦に及ぼした影響については次の文献を参照。

Yaron Pasher, *Holocaust versus Wehrmacht: How Hitler's "Final Solution" Undermined the German War Effort*, Laurence, 2015.

ドイツによるヨーロッパの大半の占領は以下の文献に詳しい。

Mark Mazower, *Hitler's Empire: How the Nazis Ruled Europe*, New York, 2008.

一九四三年の降伏後のイタリア国内の分断に関する複雑な問題については次の文献を参照。

Claudio Pavone, *A Civil War: A History of the Italian Resistance*, trans. by Peter Levy and David Broder, ed. and with an introduction by Stanislao G. Pugliese, London, 2013.

太平洋での戦争については、以下の二冊の概説書がすぐれている。

John Costello, *The Pacific War*, New York, 1982.

Ronald H. Spector, *Eagle against the Sun: The American War with Japan*, 1985.

日本の対中戦争からの戦線拡大の始まりとなる真珠湾攻撃に関しては、まず次の文献を手に取るとよい。

Alan D. Zimm, *Attack on Pearl Harbor: Strategy, Combat, Myths, Deceptions*, Havertown, PA, 2011.

重要な転機となるミッドウェイ海戦については、次の文献で取り上げられている。

Jonathan Parshall and Antony Tully, *Shattered Sword: The Untold Story of the Battle of Midway*, Washington, DC, 2005.

米国による最初の攻勢——そして米国史上最長の戦闘——となるガダルカナルの戦いについては、次の文献が非常にうまくまとめている。

Richard B. Frank, *Guadalcanal: The Definitive Account of the Landmark Battle*, New York, 1990.

南西太平洋での戦役に関する優れた序説としては次の文献がある。

D. Clayton James, *The Years of MacArthur*, Vol. II, *1941–1945*, Boston, 1975.

東南アジアでの戦闘については、次の概説が有益である。

Louis Allen, *Burma: The Longest War 1941–1945*, London, 1984.［ルイ・アレン著／平久保正男ほか訳『ビルマ 遠い戦場——ビルマで戦った日本と英国 一九四一〜四五年 上・中・下』（原書房、一九九五年）。］

太平洋を横断する米国の進撃の佳境となるレイテ沖海戦については、次の文献を参照。

H. P. Willmott, *The Battle of Leyte Gulf: The Last Fleet Action*, Bloomington, 2005.

日本に対する航空攻撃については、次の文献にうまくまとめられている。

Barrett Tillman, *Whirlwind: The Air War against Japan 1942–1945*, New York, 2010.

太平洋での戦争の最終段階については、以下の二冊が優れた概説書である。

Richard B. Frank, *Downfall: The End of the Imperial Japanese Empire*, New York, 1999.
D. M. Giangreco, *Hell to Pay: Operation DOWNFALL and the Invasion of Japan, 1945–1947*, Annapolis, 2009.

日本の軍隊に関する見事な序説としては以下の文献がある。

Edward J. Drea, *Japan's Imperial Army: Its Rise and Fall, 1853–1945*, Lawrence, 2009.
Paul S. Dull, *A Battle History of the Imperial Japanese Navy (1941–1945)*, Annapolis, 1978.
M. G. Sheftall, *Blossoms in the Wind: Human Legacies of the Kamikaze*, New York, 2005.

東アジアにおける日本の占領政策とその反響に関しては、いまもって以下の文献を参照すべきである。

F. C. Jones, Hugh Borton, and B. R. Pearn, *Survey of International Affairs, 1939–1946: The Far East 1942–1946*, Oxford, 1955.
［本書の一部はヒュー・ボートン、F・C・ジョーンズ、B・R・パーン著／小林昭三訳『連合国占領下の日本』（憲法調査会事務局、一九五八年）として訳出されている。］

交戦国の指導者たちの戦争目的については、次の文献にまとめられている。

Gerhard L. Weinberg, *Visions of Victory: The Hopes of Eight World War II Leaders*, New York, 2005.

五人の主要な指導者たちとその軍司令官たちとの関係については、以下の文献の序論的描写が有益である。

Helmut Heiber and David M. Glantz, eds., *Hitler and His Generals: Military Conferences 1942–1945*, New York, 2002.
John Gooch, *Mussolini and His Generals: The Armed Forces and Italian Foreign Policy, 1922–1940*, Cambridge, 2007.
Raymond Callahan, *Churchill and His Generals*, Lawrence, 2007.

Stephen Roskill, *Churchill and the Admirals*, Barnsley, 1977.
Seweryn Bialer, ed., *Stalin and His Generals: Soviet Military Memoirs of World War II*, London, 1970.
Harold Shukman, ed., *Stalin's Generals*, London, 1993.
Eric Larrabee, *Commander in Chief: Franklin Delano Roosevelt, His Lieutenants, and Their War*, New York, 1987.

戦争のさまざまな側面に関するさらなる推奨文献については、本推奨文献リストで最初にあげた著作の九二一〜四四頁にある「Bibliographic Essay」に目を通すことをお勧めする。

や・ら・わ行

ま行

さ行

た行

か行

索　引

あ行

●著者……………………………………………………………………

ゲアハード・L・ワインバーグ（Gerhard Ludwig Weinberg）

ノースカロライナ大学チャペルヒル校名誉教授。ドイツ外交史および第二次世界大戦史研究の権威。アメリカ歴史学会ジョージ・ルイス・ビア賞2回、アメリカ・ドイツ研究学会ハルヴァーソン賞、アメリカ軍事史学会サミュエル・エリオット・モリソン賞受賞。ドイツ連邦共和国功労勲章一等功労十字章受章。著書：*A World at Arms, Hitler's Foreign Policy, 1933-1939* ほか多数。

●訳者……………………………………………………………………

矢吹　啓（やぶき・ひらく）

東京大学大学院人文社会系研究科欧米文化研究専攻（西洋史学）博士課程単位取得満期退学。キングス・カレッジ・ロンドン社会科学公共政策学部戦争研究科博士課程留学。論文・訳書：'Britain and the Resale of Argentine Cruisers to Japan before the Russo-Japanese War,' *War in History*, 16: 4 (2009): 425-446,「ドイツの脅威：イギリス海軍から見た英独建艦競争、1898-1918」（三宅正樹・石津朋之ほか編『ドイツ史と戦争――「軍事史」と「戦争史」』彩流社、2011年所収）。J. S. コーベット『コーベット海洋戦略の諸原則』（原書房、2016年）、A. T. マハン『マハン海戦論』（原書房、2017年）、J. ブラック『海戦の世界史』（中央公論新社、2019年）。

●シリーズ監修……………………………………………………………

石津朋之（いしづ・ともゆき）

防衛省防衛研究所戦史研究センター長 併 国際紛争史研究室長。著書・訳書：『戦争学原論』（筑摩書房）、『大戦略の哲人たち』（日本経済新聞出版社）、『リデルハートとリベラルな戦争観』（中央公論新社）、『クラウゼヴィッツと「戦争論」』（共編著、彩流社）、『戦略論』（監訳、勁草書房）など多数。

シリーズ戦争学入門

第二次世界大戦

2020年３月10日　第１版第１刷発行

著　者………………………………………………………
ゲアハード・L・ワインバーグ

訳　者………………………………………………………
矢吹　啓

発行者………………………………………………………
矢部敬一

発行所………………………………………………………
株式会社 創元社
〈ホームページ〉https://www.sogensha.co.jp/
〈本社〉〒541-0047 大阪市中央区淡路町4-3-6
Tel.06-6231-9010㈹
〈東京支店〉〒101-0051 東京都千代田区神田神保町1-2 田辺ビル
Tel.03-6811-0662㈹

印刷所………………………………………………………
株式会社 太洋社

ISBN978-4-422-30076-4 C0331